D1107512

Александр Волков

Семь подземных королей

Иллюстрации Владимира Канивца

#эксмодетство

Москва

2022

УДК 821.161.1-34-053.2
ББК 84(2Рос=Рус)6-44
В67

Волков, Александр Мелентьевич.

В67 Семь подземных королей / Александр Волков ; иллюстрации Владимира Канивца. – Москва : Эксмо, 2022. – 224 с. : ил. – (Волшебник Изумрудного города).

УДК 821.161.1-34-053.2
ББК 84(2Рос=Рус)6-44

ISBN 978-5-699-25921-2

КАК ПОЯВИЛАСЬ ВОЛШЕБНАЯ СТРАНА

В старое время, так давно, что никто не знает, когда это было, жил могучий волшебник Гуррикап. Жил он в стране, которую много позже назвали Америкой, и никто на свете не мог сравниться с Гуррикапом в умении творить чудеса. Сначала он очень этим гордился и охотно выполнял просьбы приходивших к нему людей: одному дарил лук, стрелявший без промаха, другого наделял такой быстротой бега, что тот обгонял оленя, третьему давал неуязвимость от звериных клыков и когтей.

Так продолжалось много лет, но потом просьбы и благодарности людей наскучили Гуррикапу, и он решил поселиться в уединении, где бы его никто не тревожил.

Долго бродил волшебник по материку, ещё не имевшему названия, и наконец нашёл подходящее место. Это была удивительно милая страна — с дремучими лесами, с прозрачными реками, орошавшими зелёные полянки, с чудесными фруктовыми деревьями.

— Вот что мне надо! — обрадовался Гуррикап. — Здесь я в покое проживу свою старость. Надо только устроить, чтобы сюда не являлись люди.

Такому могучему чародею, как Гуррикап, это ничего не стоило.

Раз! — и страну окружило кольцо неприступных гор.

Два! — за горами пролегла Великая песчаная пустыня, через которую не мог пройти ни один человек.

Гуррикап призадумался над тем, чего ему ещё недостаёт.

— Пусть здесь воцарится вечное лето! — приказал волшебник, и его желание исполнилось. — Пусть эта страна будет Волшебной, и пусть здесь разговаривают по-человечески все звери и птицы! — воскликнул Гуррикап.

И тотчас повсюду загремела неумолкаемая болтовня: заговорили обезьяны и медведи, львы и тигры, воробьи и вороны, дятлы

и синицы. Все они соскучились за долгие годы молчания и спешили высказать друг другу свои мысли, чувства, желания...

— Потише! — сердито распорядился волшебник, и голоса примолкли. — Вот теперь начнётся моё спокойное житьё без назойливых людей, — сказал довольный Гуррикап.

— Вы ошибаетесь, могучий волшебник! — раздался голос близ уха Гуррикапа, и бойкая сорока уселась ему на плечо. — Извините, пожалуйста, но здесь живут люди, и их немало.

— Не может быть! — вскричал раздосадованный волшебник. — Почему я их не видел?

— Вы очень большой, а в нашей стране люди очень маленькие! — смеясь, объяснила сорока и улетела.

И в самом деле: Гуррикап был так велик, что голова его приходилась вровень с верхушками самых высоких деревьев. Зрение же его под старость ослабело, а про очки в те времена не знали даже самые искусные волшебники.

Гуррикап выбрал обширную поляну, лёг на землю и устремил взор в чащу леса. И там он с трудом разглядел множество мелких фигурок, боязливо прятавшихся за деревьями.

— А ну, подойдите сюда, человечки! — грозно приказал волшебник, и его голос прозвучал, как раскат грома.

Маленькие люди вышли на лужайку и робко смотрели на великана.

— Кто вы такие? — сурово спросил волшебник.

— Мы жители этой страны, и мы ни в чём не виноваты, — дрожа, ответили люди.

— Я вас и не виню, — сказал Гуррикап. — Это мне надо было смотреть хорошенько, выбирая место для житья. Но что сделано, то сделано, обратно я ничего переколдовывать не буду. Пусть эта страна останется Волшебной на веки веков, а я выберу себе уголок поукромнее...

Гуррикап ушёл к горам, в одно мгновение воздвиг себе великолепный дворец и поселился там, строго наказав обитателям Волшебной страны даже близко не подходить к его жилищу.

Этот приказ выполнялся в течение столетий, а потом волшебник умер, дворец обветшал и постепенно развалился, но даже и тогда всякий боялся приближаться к тому месту.

Потом забылась и память о Гуррикапе. Люди, населявшие отрезанную от мира страну, стали думать, что она вечно была такой, что всегда её окружали Кругосветные горы, что всегда в ней было постоянное лето, что там всегда разговаривали по-человечьему животные и птицы...

ПЕЩЕРА

ТЫСЯЧУ ЛЕТ НАЗАД

Население Волшебной страны всё увеличивалось, и пришло время, когда в ней образовалось несколько государств. В государствах, как водится, появились короли, а при королях — придворные, многочисленная прислуга. Потом короли завели армии, начали ссориться друг с другом из-за пограничных владений и устраивали войны.

В одном из государств, в западной части страны, тысячу лет назад царствовал король Наранья. Он правил так долго, что его сыну Бофаро надоело ждать смерти отца, и он задумал свергнуть его с престола. Заманчивыми обещаниями принц Бофаро привлёк на свою сторону несколько тысяч сторонников, но они ничего не успели сделать. Заговор был раскрыт. Принца Бофаро привели на суд отца. Тот сидел на высоком троне, окружённый придворными, и грозно смотрел на бледное лицо мятежника.

— Признаёшься ли ты, недостойный сын мой, что злоумышлял против меня? — спросил король.

— Признаюсь, — дерзко ответил принц, не опуская глаз перед суровым взором отца.

— Может быть, ты хотел убить меня, чтобы завладеть престолом? — продолжал Наранья.

— Нет, — сказал Бофаро, — я этого не хотел. Твоей участью было бы пожизненное заключение.

— Судьба решила иначе, — заметил король. — То, что ты готовил мне, постигнет тебя и твоих приверженцев. Ты знаешь Пещеру?

Принц содрогнулся. Конечно, он знал о существовании огромного подземелья, расположенного глубоко под их королевством. Случалось, что люди заглядывали туда, но, простояв несколько минут у входа, увидев на земле и в воздухе странные тени невиданных зверей, в испуге возвращались. Жить там казалось невозможно.

— Ты и твои сторонники отправитесь в Пещеру на вечное поселение! — торжественно возгласил король, и даже враги Бофаро ужаснулись. — Но этого мало! Не только вы, но и дети ваши и дети ваших детей — никто не вернётся на землю, к голубому небу и яркому солнцу. Об этом позаботятся мои наследники: я возьму с них клятву, что они свято выполнят мою волю. Может быть, ты хочешь возразить?

— Нет, — сказал Бофаро, такой же гордый и неуступчивый, как и Наранья. — Я заслужил это наказание за то, что осмелился поднять руку на отца. Я попрошу только об одном: пусть нам дадут земледельческие орудия.

— Вы их получите, — сказал король. — И вас даже снабдят оружием, чтобы вы могли защищаться от хищников, населяющих Пещеру.

Унылые колонны изгнанников, сопровождаемых плачущими жёнами и детьми, отправлялись под землю. Выход охранялся большим отрядом солдат, и ни один мятежник не смог бы вернуться обратно.

Бофаро с женой и два его сына спустились в Пещеру первыми. Их взорам открылась удивительная Подземная страна. Она простиралась так далеко, насколько хватало глаз, и на её ровной поверхности кое-где поднимались невысокие холмы, поросшие лесом. Посредине Пещеры светлела гладь большого круглого озера.

Казалось, на холмах и лугах Подземной страны царствует осень. Листва на деревьях и кустах была багряная, розовая, оранжевая, а луговые травы желтели, точно просясь под косу косаря. В Подземной стране был сумрак. Лишь клубившиеся под сводом золотистые облака давали немного света.

— И здесь мы должны жить? — с ужасом спросила жена Бофаро.

— Такова наша судьба, — угрюмо ответил принц.

ОСАДА

Изгнанники долго шли, пока не добрались до озера. Его берега были усыпаны камнями. Бофаро влез на большой обломок скалы и поднял руку в знак того, что хочет говорить. Все замерли в молчании.

— Друзья мои! — начал Бофаро. — Я очень виноват перед вами. Моё честолюбие вовлекло вас в беду и забросило под эти мрачные своды. Но прошлого не воротишь, и жизнь лучше смерти. Нам предстоит жестокая борьба за существование, и мы должны избрать вождя, который бы нами руководил.

Раздались громкие крики:

— Ты — наш вождь!

— Избираем тебя, принц!

— Ты — потомок королей, тебе и править, Бофаро!

Никто не поднял голоса против избрания Бофаро, и его мрачное лицо озарилось слабой улыбкой. Всё-таки он стал королём, хотя и в подземном царстве.

— Слушайте меня, люди! — заговорил он. — Мы заслужили отдых, но отдыхать ещё нельзя. Когда мы шли по Пещере, я видел смутные тени больших зверей, следивших за нами издалека.

— И мы их видели! — подтвердили другие.

— Тогда за работу! Пусть женщины уложат спать детей и присматривают за ними, а всем мужчинам — строить укрепление!

И Бофаро, подавая пример, первым покатил камень к проведённому по земле большому кругу. Забыв об усталости, люди таскали и катали камни, и круглая стена поднималась всё выше.

Прошло несколько часов, и стена, широкая, прочная, воздвиглась на два человеческих роста высотой.

— Я думаю, этого пока довольно, — сказал король. — Потом мы построим здесь город.

Бофаро поставил на караул несколько мужчин с луками и копьями, а все остальные изгнанники, измученные, улеглись спать при тревожном свете золотистых облаков. Их сон продолжался недолго.

— Опасность! Поднимайтесь все! — закричала стража.

Испуганные люди взобрались на каменные приступки, сделанные с внутренней стороны укрепления, и увидели, что к их убежищу подходят несколько десятков странных зверей.

— Шестилапые! Эти чудища — шестилапые! — раздались возгласы.

И действительно, у животных вместо четырёх было по шесть толстых круглых лап, поддерживавших длинные круглые туловища. Шерсть на них была грязно-белая, густая и косматая. Шестилапые как заворожённые пялили на неожиданно возникшую крепость большие круглые глаза...

— Какие страшилища! Хорошо, что мы под защитой стены, — переговаривались люди.

Стрелки из лука заняли боевые позиции. Звери приближались, принюхиваясь, присматриваясь, недовольно мотая большими головами с короткими ушами. Вскоре они подошли на расстояние выстрела. Зазвенели тетивы, стрелы с жужжанием пронеслись в воздухе и засели в косматой шерсти зверей. Но они не могли пробить их толстую шкуру,

и Шестилапые продолжали приближаться, глухо рыча. Как и все звери Волшебной страны, они умели говорить, но говорили плохо, у них были слишком толстые языки, с трудом ворочавшиеся во рту.

— Не тратить напрасно стрелы! — распорядился Бофаро. — Приготовить мечи и копья! Женщины с детьми — в середину укрепления!

Но звери не решились идти в атаку. Они кольцом обложили крепость и не спускали с неё глаз. Это была настоящая осада.

И тут Бофаро понял свою ошибку. Незнакомый с нравами обитателей подземелья, он не велел запасти воды, и теперь, если осада будет долгой, защитникам крепости грозила гибель от жажды.

Озеро было невдалеке — всего в нескольких десятках шагов, но как туда прорвёшься через цепь врагов, проворных и быстрых, несмотря на кажущуюся неповоротливость?..

Прошло несколько часов. Первыми запросили пить дети. Напрасно матери их успокаивали. Бофаро уже готовился сделать отчаянную вылазку.

Вдруг в воздухе что-то зашумело, и осаждённые увидели в небе быстро приближавшуюся стаю удивительных существ. Они немного напоминали крокодилов, водившихся в реках Волшебной страны, но были гораздо крупнее. Эти новые чудовища махали громадными кожистыми крыльями, сильные когтистые лапы болтались под грязно-жёлтым чешуйчатым брюхом.

— Мы погибли! — закричали изгнанники. — Это драконы! От этих летучих тварей не спасёт и стена...

Люди закрывали руками головы, ожидая, что вот-вот вонзятся в них страшные когти. Но произошло неожиданное. Стая драконов с визгом ринулась на Шестилапых. Они метили в глаза, а звери, видимо, привычные к таким нападениям, старались уткнуть морду в грудь и махали перед собой передними лапами, привстав на задние.

Визг драконов и рёв Шестилапых оглушали людей, но те с жадным любопытством глядели на невиданное зрелище. Некоторые Шестилапые свернулись клубком, и драконы яростно кусали их, выдирая огромные клочья белой шерсти. Один из драконов, неосторожно подставивший бок под удар могучей лапы, не мог взлететь и неуклюже скакал по песку...

Наконец Шестилапые бросились врассыпную, преследуемые летучими ящерами. Женщины, схватив кувшины, побежали к озеру, спеша напоить плачущих детей.

Много позже, когда люди обжились в Пещере, они узнали причину вражды между Шестилапыми и драконами. Ящеры откладывали яйца, зарывая их в тёплую землю в укромных местах, а для зверей эти яйца были лучшим лакомством, они выкапывали их и пожирали. Поэтому драконы нападали на Шестилапых где только могли. Впрочем, и ящеры были не без греха: они загрызали молоденьких зверей, если те попадались им без охраны родителей.

Так вражда между зверями и ящерами спасла людей от гибели.

УТРО НОВОЙ ЖИЗНИ

Прошли годы. Изгнанники привыкли жить под землёй. На берегу Срединного озера они построили город и обнесли его каменной стеной. Чтобы прокормиться, они принялись пахать землю и сеять хлеб. Пещера залегала так глубоко, что почва в ней была тёплой, её согревал подземный жар. Перепадали по временам и дождички из золотистых облаков. И потому пшеница там всё-таки созревала, хотя и медленнее, чем наверху. Только очень трудно было людям таскать на себе тяжёлые плуги, распахивая твёрдую каменистую землю.

И однажды к королю Бофаро пришёл пожилой охотник Карум.

— Ваше Величество, — сказал он, — пахари скоро начнут умирать от переутомления. И я предлагаю запрячь в плуги Шестилапых.

Король изумился.

— Да они загрызут погонщиков!

— Я сумею их укротить, — заверил Карум. — Там, наверху, мне приходилось иметь дело с самыми ужасными хищниками. И я всегда справлялся.

— Что ж, действуй! — согласился Бофаро. — Тебе, вероятно, нужны помощники?

— Да, — сказал охотник — Но, кроме людей, я привлеку к этому делу драконов.

Король снова удивился, а Карум спокойно пояснил:

— Видите ли, мы, люди, слабее и Шестилапых, и летучих ящеров, но у нас есть разум, которого не хватает этим зверям. Я укрощу Шестилапых с помощью драконов, а держать драконов в подчинении мне помогут Шестилапые.

Карум принялся за дело. Его люди забирали молодых дракончиков, едва те успевали вылупиться из яиц. Воспитанные людьми с первого дня, ящеры вырастали послушными, и при их-то содействии Каруму удалось изловить первую партию Шестилапых.

Нелегко было подчинить себе свирепых зверей, но это удалось. После многодневной голодовки Шестилапые стали принимать пищу от человека, а потом дали надеть на себя сбрую и начали таскать плуги.

Первое время не обходилось без несчастных случаев, но потом всё наладилось. Ручные драконы носили людей по воздуху, а Шестилапые пахали землю. Люди вздохнули свободнее, и у них стали быстрее развиваться ремёсла.

Ткачи ткали материи, портные шили одежду, гончары лепили горшки, рудокопы добывали руду из глубоких шахт, литейщики выплавляли из неё металлы, а слесари и токари производили из металлов все необходимые изделия.

Добывание руд требовало больше всего труда, в шахтах работало много народу, и потому эту область стали называть Страной Подземных рудокопов.

Подземным жителям приходилось рассчитывать только на себя, и они сделались чрезвычайно изобретательными и находчивыми. Люди стали забывать о верхнем мире, а дети, рождавшиеся в Пещере, никогда его не видели и знали о нём только из материнских рассказов, которые стали наконец походить на сказки...

Жизнь налаживалась. Плохо было лишь то, что честолюбивый Бофаро завёл большой штат придворных и многочисленную прислугу, а содержать этих бездельников приходилось народу.

И хотя пахари усердно пахали, сеяли и собирали хлеб, огородники возделывали овощи, а рыбаки ловили сетями рыбу и крабов в Срединном озере, продуктов вскоре стало не хватать. Подземным рудокопам пришлось завести меновую торговлю с верхними жителями.

Взамен зерна, масла и фруктов жители Пещеры давали свои изделия: медь и бронзу, железные плуги и бороны, стекло, драгоценные камни.

Торговля между нижним и верхним миром постепенно расширялась. Местом, где она производилась, был выход из подземного мира в Голубую страну. Этот выход, расположенный близ восточной границы Голубой страны, по приказу короля Нараньи был закрыт прочными воротами. После смерти Нараньи наружный караул от ворот был убран, потому что подземные рудокопы не пытались вернуться наверх: за многие годы жизни под землёй глаза пещерных жителей отвыкли от солнечного света, и теперь рудокопы могли появляться наверху только ночью.

Полночный звук колокола, подвешенного у ворот, возвещал о наступлении очередного базарного дня. Утром купцы Голубой страны проверяли и пересчитывали товары, вынесенные подземными жителями в ночную пору. После этого сотни работников привозили на тачках мешки с мукой, корзины с фруктами и овощами, ящики с яйцами, маслом, сыром. В следующую ночь всё это исчезало.

ЗАВЕЩАНИЕ КОРОЛЯ БОФАРО

Бофаро царствовал в Подземной стране много лет. Он спустился в неё с двумя сыновьями, но потом у него родилось ещё пять. Бофаро очень любил своих детей и никак не мог выбрать из них наследника. Ему казалось, что если он назначит одного из сыновей своим преемником, то страшно обидит остальных.

Семнадцать раз Бофаро менял завещание и наконец, измученный склоками и интригами наследников, пришёл к мысли, которая принесла ему успокоение. Он назначил наследниками всех своих семерых сыновей, чтобы они царствовали поочерёдно, каждый по месяцу. А во избежание ссор и междоусобиц он заставил детей дать клятву, что они всегда будут жить в мире и строго соблюдать порядок правления.

Клятва не помогла: раздоры начались сразу после смерти отца. Братья заспорили, кому из них царствовать первому.

— Порядок правления надо установить по росту. Я — самый высокий, а потому и буду царствовать первым, — заявил королевич Вагисса.

— Ничего подобного, — возразил толстый Граменто. — Кто больше весит, у того и больше ума. Давайте взвесимся!

— Жиру в тебе много, а не ума, — закричал королевич Тубаго. — С делами королевства лучше всего справится самый сильный. А ну, выходите трое на одного! — И Тубаго замахал огромными кулаками.

Завязалась драка. В результате кое-кто из братьев недосчитался зубов, у других были подбиты глаза, вывихнуты руки и ноги...

Передравшись и помирившись, королевичи удивились, почему им не пришло в голову, что самый бесспорный порядок — править королевством по старшинству.

Установив порядок правления, семь подземных королей решили построить себе общий дворец, но так, чтобы каждый брат имел отдельную часть. Архитекторы и каменщики воздвигли на городской площади огромное семибашенное здание с семью отдельными входами в покои каждого короля.

У старейших обитателей Пещеры ещё хранилась память о чудесной радуге, сиявшей на небе их потерянной родины. И эту радугу они решили сохранить для своих потомков на стенах дворца. Его семь башен были окрашены в семь цветов радуги: красный, оранжевый, жёлтый... Искусные мастера добились того, что тона отличались изумительной чистотой и не уступали цветам радуги.

Каждый король выбрал своим главным цветом цвет той башни, где он поселился. Так, в зелёных покоях всё было зелёное: парадное одеяние короля, одежды придворных, ливреи лакеев, окраска мебели. В фиолетовых покоях всё было фиолетовое... Цвета разделили по жребию.

В подземном мире не было смены дней и ночей и время измерялось по песочным часам. Поэтому постановили, чтобы за правильностью чередования королей следили особые вельможи — Хранители времени.

Плохие последствия имело завещание короля Бофаро. Началось с того, что каждый король, подозревая других во враждебных замыслах, завёл себе вооружённую стражу. Эта стража разъезжала на драконах. Так у каждого короля появились летающие надсмотрщики, наблюдавшие за работами в полях и на заводах. Воинов и надсмотрщиков, как и придворных и лакеев, должен был кормить народ.

Другая беда состояла в том, что в стране не было твёрдых законов. Её жители не успевали за месяц привыкнуть к требованиям одного короля, как вместо него появлялись другие. Особенно много неприятностей доставляли приветствия.

Один король требовал, чтобы при встрече с ним становились на колени, а другого надо было приветствовать, приложив левую руку с растопыренными пальцами к носу, а правой помахивая над головой. Перед третьим надо было подскакивать на одной ножке...

Каждый правитель старался выдумать что-нибудь почуднее, до чего не додумались бы другие короли. А подземные жители стоном стонали от таких выдумок.

У каждого обитателя Пещеры был набор колпаков всех семи цветов радуги, и в день смены правителей надо было менять колпак. За этим зорко следили воины короля, вступившего на престол.

В одном только были согласны между собой короли: они придумывали всё новые налоги.

Люди надрывались на работе, чтобы удовлетворить прихоти своих повелителей, а этих прихотей было много.

Каждый король, вступая на престол, задавал пышный пир, на который приглашались в Радужный дворец придворные всех семи владык. Праздновались дни рождения королей, их супруг и наследников, отмечались удачные охоты, появление на свет маленьких дракончиков в королевских драконниках и многое, многое другое... Редкий день во дворце не гремели возгласы пирующих, угощавших друг друга вином верхнего мира и прославлявших очередного владыку.

БЕСПОКОЙНЫЕ СУТКИ

Шёл 189-й год Подземной эры, считавшейся с того времени, когда мятежный принц Бофаро и его сторонники были сосланы в Пещеру. Несколько поколений подземных жителей сменились с тех пор, и люди приспособились жить в Пещере с её вечным полумраком, напоминавшим земные сумерки. Их кожа стала бледной, они сделались более стройными и тонкими, большие глаза привыкли хорошо видеть при слабом рассеянном свете золотистых облаков, клубившихся под высоким каменным сводом, и уже совсем не могли переносить дневное освещение верхнего мира.

Кончался срок правления короля Памельи Второго, и надо было передавать власть Пампуро Третьему. Но Пампуро Третий был ещё младенцем, и за него правила мать, вдовствующая королева Стафида. Стафида была женщина властолюбивая, ей хотелось поскорее сменить Памелью на престоле. Она призвала своего Хранителя времени, седого коренастого старика с длинной бородой.

— Ургандо, ты переведёшь часы на главной башне на шесть часов вперёд! — приказала она.

— Слушаюсь, Ваше Величество! — ответил с поклоном Ургандо. — Я знаю, что подданные ждут не дождутся, когда вы вступите на престол.

— Ладно, иди, да не болтай! — оборвала его Стафида.

— Не в первый раз! — ухмыльнулся Ургандо.

Он выполнил приказ королевы. Но Хранитель времени короля Памельи, молодой Туррепо, получил от своего повелителя распоряжение отвести часы на двенадцать часов назад: Памелья хотел продлить своё властвование.

В Городе Семи владык и во всей стране началась неразбериха. Едва городские обыватели успели сомкнуть глаза и погрузиться в первый сладкий сон, как дворцовый колокол пробил шесть часов утра — сигнал к подъёму. Заспанные, ничего не понимающие люди нехотя вылезали из постелей, собираясь приниматься за работу.

— Сосед, а сосед! — кричал разбуженный портной сапожнику. — В чём дело? Почему звон в такой неурочный час?

— Кто их разберёт! — отвечал сосед. — Короли лучше знают время. Одевайся, да не забудь надеть зелёный колпак...

— Знаю, знаю, мне прошлый раз здорово попало за то, что не в том колпаке пошёл в булочную. Сутки под стражей просидел...

Те, кто вышел на площадь, услышали сверху страшный шум и вопли: это дрались на часовой башне Ургандо и Туррепо. Туррепо старался вытолкать Ургандо, чтобы отбить свой счёт времени. Но старик оказался сильнее и сбросил противника с лестницы.

Туррепо полежал на нижней площадке несколько минут, встал и снова полез наверх. И опять скинул его Ургандо. Туррепо не угомонился. Во время третьей схватки он изловчился схватить противника в свои объятия, и они свалились с лестницы вместе. Ургандо ударился о ступеньку головой и лишился сознания.

Туррепо немедленно перевёл часы назад и дал сигнал отбоя. Глашатаи побежали по городу, приказывая жителям ложиться спать, а жёлтые воины оседлали драконов и отправились по деревням и посёлкам объявлять людям, что зелёные разбудили их раньше времени.

Тотчас на смену зелёным явились жёлтые колпаки.

Победивший Туррепо пошёл спать, не заботясь о лежавшем в обмороке Ургандо, а тот, очнувшись часа через полтора, поднялся на лестницу и разослал своих гонцов будить всех в городе и в стране.

За эти сутки обитатели Пещеры вставали и ложились семь раз, пока упорный Туррепо не уступил сопернику. Жителям было возвещено, что на престол вступил Его Величество король Пампуро Третий. Люди, не мешкая, сменили жёлтые колпаки на зелёные, в последний раз за эти сутки.

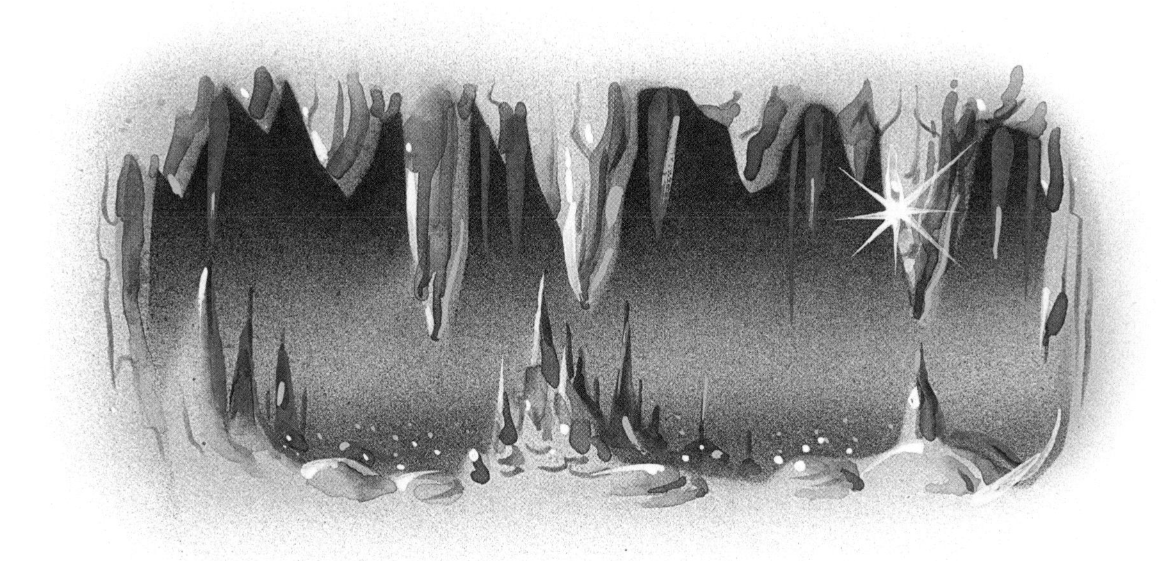

ОХОТА НА ШЕСТИЛАПОГО

Прошло ещё сто лет. Положение в Подземной стране всё ухудшалось. Чтобы удовлетворить ненасытные аппетиты королей, придворных, солдат, простым людям уже приходилось работать по восемнадцать-двадцать часов в сутки. С тревогой они думали о будущем.

И тут на помощь обитателям Пещеры пришёл удивительный случай. Всё началось с охоты на Шестилапого.

Укрощённые Шестилапые приносили большую пользу в хозяйстве страны. Они таскали тяжёлые плуги и бороны, косилки и жатки, вертели колёса молотилок. Они же работали у водяных колёс, подававших воду из озера в Город Семи владык, вытаскивали клети с рудой из глубоких шахт...

Шестилапые были всеядными животными. Их кормили соломой и сеном, рыбой из озера, отбросами городских кухонь... Плохо было только одно: чтобы заменить умиравших от старости Шестилапых, нужно было ловить новых в каменном лабиринте, окружавшем Пещеру. Этот лабиринт был объявлен королевским заповедником, и под страхом смерти никто из граждан Пещеры не смел там охотиться.

В королевском заповеднике была тишина. Ни один звук не нарушал молчания подземных залов и коридоров.

В одной из пещер у стены стоял Шестилапый. Его лохматая белая шерсть слабо светилась, освещая предметы на два-три шага вокруг. Зверь с наслаждением слизывал с сырой скалы огромных улиток и глотал их прямо со скорлупой.

Долго предавался он этому приятному занятию, как вдруг до его чуткого слуха донёсся отдалённый шум. Зверь начал прислушиваться — он реже отрывал улиток от стены, беспокойно вертел большой косматой головой.

Что встревожило зверя? Эта загадка вскоре разъяснилась. Вдали показались неясные светлые пятна, колыхавшиеся в воздухе. А потом стали видны фигуры людей, на головных уборах которых были укреплены светящиеся шарики. Их свет походил на тот, что испускала шерсть Шестилапого, но был гораздо ярче и освещал предметы на двадцать шагов кругом.

Высокие стройные люди в кожаных одеждах приближались к убежищу Шестилапого, держась на равных расстояниях друг от друга. Они несли перед собой длинную сеть, растянутую во всю ширину пещеры. У некоторых были палки с петлёй на конце.

Обитатели Подземной страны шли на охоту, и целью её был Шестилапый.

— Тихо, друзья! — сказал начальник королевской охоты, искусный зверолов Ортега. — Чувствую, что зверь недалеко. До меня доносится запах.

— И мы его чуем, — подтвердили подчинённые Ортеги.

— Крепче держитесь на флангах, — приказал королевский ловчий. — Шестилапые всегда стараются прорваться у стены.

— У нас наготове факелы, — сказали фланговые. — Мы напугаем их огнём.

Как тихо ни разговаривали люди, зверь их услышал и бесшумно юркнул в узкий коридор на другом конце пещеры. Но охотники были мастера своего дела, и они великолепно изучили план лабиринта. Второй выход из пещеры также преграждала сеть, которую держали люди.

Шестилапый с воем выскочил обратно и заметался по пещере. А охотники подняли крик, зажгли факелы, затопали ногами, застучали палками по каменному полу. Адский шум, усиленный эхом, так напугал зверя, что тот бросился вперёд и сослепу запутался в широких ячейках сети. Верёвки затрещали под мощными ударами лап, но охотники продолжали опутывать зверя сетью, и скоро Шестилапый был в плену.

Из коридора показалась вторая партия охотников. Люди с радостными лицами столпились вокруг Шестилапого.

— За этого зверя мы получим хорошую награду, — переговаривались охотники. — Посмотрите, какой он огромный!

Здесь стало понятно назначение палок с петлями. Осторожно распутывая ноги чудовища, звероловы накидывали на них петли и привязывали лапы одну к другой так, чтобы Шестилапый мог делать только маленькие шаги. На голову зверя надели прочный кожаный намордник, а к шее привязали несколько верёвок. Когда всё это было проделано с ловкостью, говорившей о большом опыте, сеть с Шестилапого сняли, и несколько человек принялись её сворачивать.

Охотники собрались в путь. Самые рослые и сильные потащили Шестилапого за шею, а когда тот упёрся, другие сзади кольнули его острыми концами своих палок. Зверь смирился и поплёлся за людьми.

— Этого малютку отведёте в шестилапник номер четыре, а приручать его будешь ты, Зелано! — обратился к звероловам Ортега. — Идите, я похожу по лабиринту: сдаётся мне, что в этих краях для нас ещё найдётся пожива.

ЗАГАДОЧНЫЙ СОН

Охотники предложили Ортеге факел, но ловчий отказался: ему вполне было достаточно шарика на шапке.

Звероловы ушли, уводя Шестилапого, а Ортега в одиночестве начал бродить по лабиринту. Часа через два внимательных поисков охотник убедился, что в этом участке заповедника скрывается редкая добыча: самка с детёнышем.

Ловчий повернул к дому. По пути он наведался в пещеру, где давно уже не бывал. И тут он вдруг заметил отражение света в небольшом бассейне, прежде пустом.

— Смотри-ка, — удивился Ортега, — новый источник открылся. Сколько помнят люди, никогда такого тут не было.

После продолжительной ходьбы ловчий очень хотел пить. Он опустился возле источника на колени, зачерпнул горсточкой воды и с наслаждением выпил. Вода имела особенно приятный вкус, пенилась и шипела. Ортега хотел ещё немного попить, но какая-то истома охватила всё его существо.

— Эх, Ортега, Ортега, — укорил себя охотник, — стар и слаб ты становишься! Разве раньше утомила бы тебя такая прогулка? Ну ладно, отдохну малость...

Он вытянулся поудобнее на жёстком камне, и непреодолимый сон смежил ему глаза.

Исчезновение Ортеги обеспокоило его семью только к концу следующего дня: долгие отлучки старого охотника были для неё привычны. Но когда и через трое суток он не вернулся, жена, дети Ортеги и его охотники забили тревогу.

Что могло случиться с ловчим? Заблудиться в лабиринте, который Ортега знал как свои пять пальцев, он не мог. Оставалось предположение самое худшее: нападение голодного зверя или обвал. Но Шестилапые давно уже свели знакомство с людьми и старались держаться от них подальше.

Король Уконда, правивший в том месяце, распорядился отправить партию охотников на розыски. Её вёл помощник ловчего Куото.

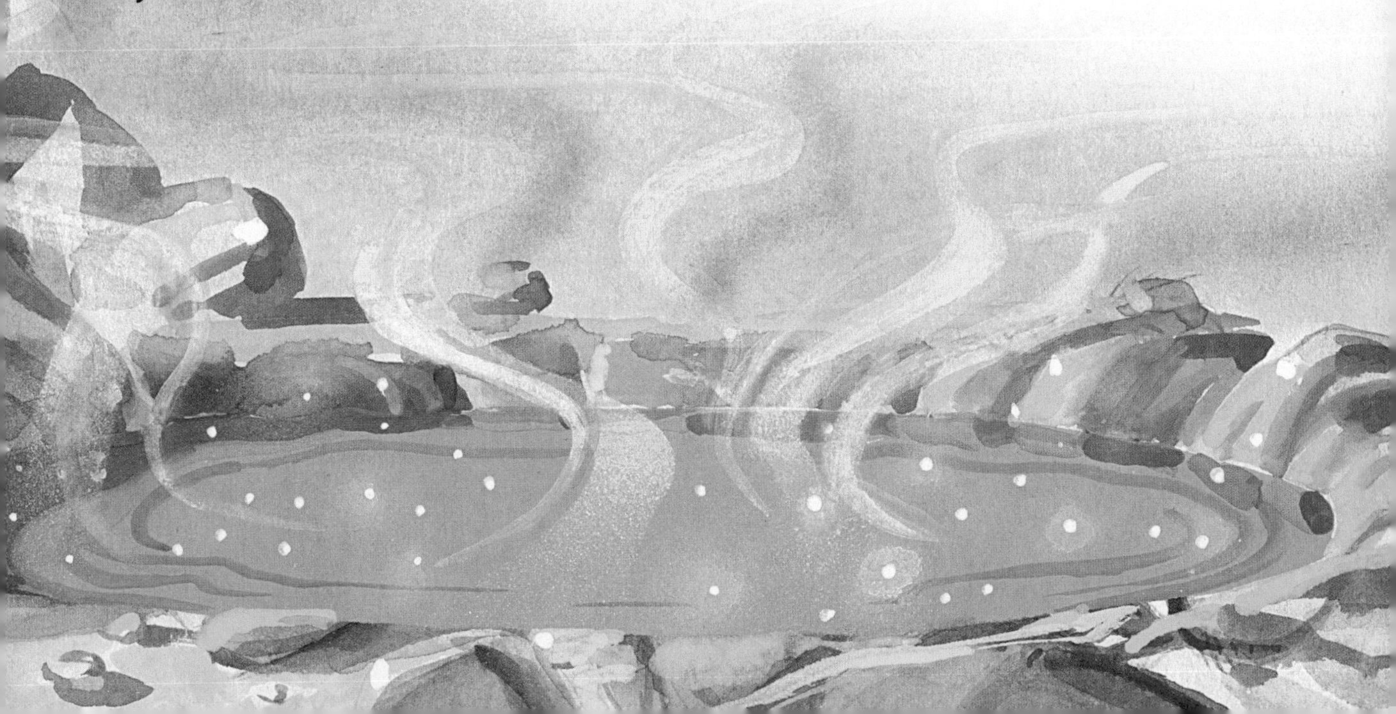

Люди несли связки факелов и большой запас провизии, так как поиски могли продолжаться несколько дней. И действительно, только после долгих усилий нашли Ортегу лежащим в мало кому известной пещере, близ небольшого круглого углубления в её полу. Углубление походило на бассейн, но в нём не было ни капли воды.

Казалось, ловчий мирно спал, но никаких следов дыхания не было заметно. Приложили ухо к груди: сердце не билось.

— Он умер! — вскричал один из охотников.

— И умер совсем недавно, — добавил Куото. — Его тело ещё совершенно гибкое и тёплое. Но как он выдержал две недели без пищи и воды?..

Печальное шествие с телом Ортеги остановилось перед крыльцом синей части дворца, где жил Уконда. Сам король вышел на крыльцо отдать последний долг своему верному охотнику.

— Когда ты думаешь хоронить мужа, женщина? — обратился он к убитой горем Алоне, жене Ортеги.

— По обычаю отцов, завтра! — отвечала та.

— Ха-ха-ха! — вдруг раздался резкий хохот, и толпу растолкал доктор Бориль, с плеч которого спускалась синяя мантия. — Да разве можно хоронить живого человека?.. Вы только посмотрите на его свежее лицо, ничуть не тронутое дыханием смерти! А это? — Низенький толстый доктор поднял руку Ортеги, отпустил, и она мягко упала на носилки.

Алона с надеждой и сомнением смотрела на доктора Бориля, а тот продолжал доказывать, что Ортега жив и только в обмороке.

— Вздор! Чепуха! — послышался громовой бас, произносивший отрывистые слова, и к телу Ортеги приблизился очень высокий, худой доктор Робиль в небрежно накинутой зелёной мантии. — Этот! Человек! Мёртв! Как! Камень!

Между докторами завязался ожесточённый спор, сопровождаемый научными доказательствами. Смотря по тому, кто из двоих одерживал верх, Алона то приходила в отчаяние, то снова начинала надеяться.

И всё-таки под конец благодаря пронзительному голосу верх одержал доктор Робиль, который смотрел на маленького Бориля сверху вниз.

— Я! Утверждаю! — гремел он. — Что! Этого! Человека! Завтра! Надо! Хоронить!

Но в этот момент «мертвец» пошевелился и открыл глаза. Поражённая толпа отхлынула в стороны, только Алона припала на грудь мужа и с плачем целовала его лицо.

— Ха-ха-ха! Хо-хо-хо! — заливался смехом Бориль. — Высокоучёный доктор Робиль чуть не похоронил живого человека! Вот так светило науки!

Но посрамлённый Робиль не сдавался:

— Это! Ещё! Надо! Доказать! Что! Он! Живой!

И он сердито ушёл с площади, величественно запахнувшись в свою зелёную мантию.

Кое-кто из зрителей рассмеялся при последних словах Робиля, но доктор Бориль выглядел озабоченным. Очнувшийся Ортега ничего не говорил, никого не узнавал, даже жену, и не понял слов участия, с которыми к нему обратился сам король Уконда.

— Странно, очень странно! — бормотал доктор Бориль. — Взгляд Ортеги блуждает, как у новорождённого младенца, и движения его рук и ног так же беспорядочны. Интересно, очень интересно! — оживился он. — Этот случай может оказаться ценным для науки. Добрая женщина! — обратился он к жене ловчего. — Я берусь лечить вашего мужа, и притом совершенно бесплатно.

Не слушая благодарностей Алоны, добродушный доктор приказал охотникам отнести Ортегу домой, потому что поставленный на ноги ловчий не мог сделать ни шага. Бориль пошёл вслед за носилками.

УСЫПИТЕЛЬНАЯ ВОДА

Доктор Бориль дни и ночи проводил у постели Ортеги. Оказалось, что ловчий действительно во всём был похож на новорождённого. Он не умел есть, и его приходилось кормить с ложечки. Ортега не говорил ни единого слова и только издавал бессмысленные звуки. Он не понимал обращённых к нему слов и не откликался на собственное имя...

— Поразительный случай! — бормотал восхищённый Бориль. — Вот рассказать бы о нём верхним докторам! Жизнью ручаюсь, что они не видели ничего подобного!

Но восстановление утраченных способностей шло у Ортеги с поразительной быстротой. Уже к вечеру он говорил «папа» и «мама», что было очень смешно при его бороде, и делал первые робкие шаги, держась за руку сына.

На второй день речь его стала совсем связной, сознание прояснилось. Помощник ловчего Куото разговаривал с ним много часов подряд, рассказывал о разных случаях на охоте, и всё это вновь оживало в памяти Ортеги. Ещё один день напряжённых занятий, и ловчий, приведённый доктором Борилем к королю, рассказал о своём необыкновенном приключении в лабиринте.

— Но когда мы нашли вас, этот бассейн был совершенно пуст! — вскричал пришедший с ловчим Куото и тут же добавил: — Прошу прощения у Вашего Величества за нарушение приличий!

— Как — пуст? — переспросил Ортега помощника.

— Там не было ни капли воды, — заверил Куото.

— Не может быть! — вскипел ловчий. — Не приснилось же мне всё это?

— А. Может. Быть. И. Приснилось, — ехидно заметил доктор Робиль. — Ведь. Вы. Так. Крепко. И. Долго. Спали!

В лабиринт снарядили экспедицию. Её вёл Ортега, к которому полностью вернулись его способности. С ним отправились, кроме охотников, министры земледелия и промышленности короля Уконды и доктора Бориль и Робиль. Удивление Ортеги было необычайным, когда оказалось, что бассейн действительно был сух.

— Но как всё это могло произойти? — бормотал он. — Ведь я же прекрасно помню, что меня свалил сон после того, как я выпил воды из этого бассейна...

Люди уже собрались уходить. Но тут доктор Бориль высказал мысль, которая привела к тому, что жизнь в Стране Подземных рудокопов совсем переменилась. Он сказал:

— А может быть, вода здесь появляется и исчезает? Она выходит из скалы по временам и снова скрывается обратно!

Доктор Робиль тут же высмеял эту догадку, и уязвлённый Бориль предложил проверить её.

— Останемся здесь на неделю, на две, на месяц, наконец! — вскричал он.

— Может. Быть. На. Год? — насмешливо спросил Робиль.

— Если в течение месяца вода не появится, я признаю себя побеждённым, — смело заявил Бориль, — и в знак поражения обойду вокруг Города Семи владык на четвереньках!

— Согласен! — ухмыльнулся Робиль.

Два доктора остались дежурить у исчезнувшего источника, а чтобы им не было скучно, с ними остались и два министра, заинтересовавшиеся спором. Кстати, вчетвером было удобнее играть в кости, которые оказались в кармане у одного из министров, завзятого игрока.

— А как же ваши министерства? — поинтересовался Ортега.

— Обойдутся и без нас, — беспечно сказал министр земледелия.

Министры приказали принести в пещеру постели и всё необходимое для продолжительного пребывания в лабиринте: провизию, вино, фрукты. К ним должны были наведываться через день и пополнять запасы.

Пять раз возвращался Ортега в пещеру, и каждый раз всё в ней оставалось по-старому. Бассейн был пуст, доктор Робиль поддразнивал Бориля и советовал ему заблаговременно учиться ходить на четвереньках, а Бориль с каждым днём становился всё мрачнее.

Но на шестой раз Ортега и его охотники увидели неожиданную картину: два доктора и два министра лежали на полу пещеры недвижные, без дыхания, без биения сердца. Между ними валялись кости: партия осталась недоигранной. А источник опять был пуст!

Когда к синему крыльцу принесли четырёх спящих, король Ухонда сказал:

— Теперь всё понятно. Эта вода, которая таинственно появляется и исчезает, — Усыпительная. Мои министры и два доктора проявили большое легкомыслие, напившись чудесной воды все разом. Что ж? Будем ждать, когда они проснутся. Отнесите этих сонь по домам и докладывайте мне об их состоянии каждый день.

Ловчий Ортега спал две недели. Но вот прошло две недели, и месяц, и полтора, а спящие оставались в том же положении: тела их были теплы и гибки, но дыхание не чувствовалось, сердце не билось.

Первым пробудился доктор Бориль. Это случилось на пятьдесят третий день после того, как он напился Усыпительной воды. Как и ловчий Ортега, Бориль во всём был подобен новорождённому ребёнку. А это было для него настоящей бедой.

В Подземной стране было только два врача, третьему там нечего было делать: не нашлось бы практики. Врачи передавали свои знания по наследству, от отца к сыну. Но отцы Бориля и Робиля давно умерли. Кто же теперь обучит двух бывших докторов медицине?

Семь королей пришли в ярость, когда поняли, что останутся без врачебной помощи. Они даже подумывали повесить Ортегу за то, что он нашёл этот проклятый источник, но потом одумались: ведь это никак не помогло бы делу.

Бориль за три дня выучился ходить и говорить, но вся медицина начисто выветрилась из его головы. К счастью, дома сохранились записки его отца и тетрадки, в которых Бориль делал уроки. Через две недели Бориль уже смог кое-как лечить больных.

К этому времени проснулся Робиль.

— Учить его буду я! — сказал Бориль, и понятно, никто не возражал.

Заполучив в руки своего врага и соперника, толстенький доктор постарался извлечь из этого все выгоды. Когда Робиль заговорил и в нём пробудилось сознание, Бориль начал ему внушать:

— Ты знаешь, кто я такой? Я — знаменитый доктор Бориль, светило науки, твой единственный наставник и покровитель, без которого ты навек остался бы глупцом и невеждой. Запомнил? Повтори!

И длинный Робиль, согнувшись чуть не вдвое и глядя сверху вниз на учителя влюблёнными глазами, говорил:

— Вы — знаменитый доктор Бориль, светило науки, мой единственный наставник и покровитель. Без вас я навек остался бы глупцом и невеждой...

— То-то же, помни это всегда и не слушай тех, кто будет говорить тебе что-нибудь другое.

Министры, наглотавшиеся воды больше всех, проснулись одновременно через три месяца после того, как заснули. Король Уконда, рассерженный их самовольной отлучкой со службы и долгим сном, велел внушить им, что до своего сна они были лакеями во дворце. А членам их семей было наказано под страхом строгой кары ничего не говорить беднягам об их прошлом. Этот смелый опыт вполне удался. Оба министра совершенно забыли прошлое. Облачённые в лакейские ливреи, они резво бегали по дворцу с подносами, подметали полы, чистили обувь, прислуживали за обедом...

БЛЕСТЯЩАЯ МЫСЛЬ

В ту пору, когда случились эти странные события, из всех семи Хранителей времени выделялся умом и честностью Беллино. Его дельные советы выслушивались и исполнялись не только другими Хранителями, но даже и королями.

И вот, после того как был открыт источник чудесной воды, этому Беллино пришла в голову замечательная мысль.

— А что, если усыплять королей на то время, пока они не царствуют? — сказал сам себе Беллино и испуганно оглянулся: не подслушивает ли кто?

Сначала эта идея показалась Хранителю времени дерзкой и невыполнимой, но чем больше он над ней раздумывал, тем больше она ему нравилась.

— В самом деле, — рассуждал Беллино, — сейчас народ кормит семь королей с их семьями, семь придворных штатов, семь разнузданных лакейских банд, семь воинских отрядов, семь шпионских шаек. Это больше тысячи нахлебников. А если осуществится моя выдумка, то на шее у народа будут только полторы сотни бездельников, а остальные станут мирно спать без сновидений, не заботясь о своих желудках.

Сначала старый Беллино раздумывал над своим планом один, а потом поделился мыслями с маленьким толстым доктором Борилем.

Бориль пришёл в восторг.

— Клянусь всеми горчичниками мира, — воскликнул он, — это поистине гениальная идея! Вот только согласятся ли наши повелители спать? — задумчиво добавил он. — Ну да мы сумеем их уговорить!

Но прежде всего надо было исследовать все загадочные свойства Усыпительной воды. Этим и занялся Беллино вместе с докторами Борилем и Робилем.

Выяснилось, что чудесная вода появлялась из скалы раз в месяц. Она наполняла небольшой круглый бассейн, держалась в нём несколько часов, а потом опять уходила в неизведанную глубь земли.

Воду набирали в сосуды, приносили в Пещеру, но уже через сутки она теряла свое усыпительное свойство. Чтобы заснуть, следовало пить волшебную воду вскоре после её появления.

Не сразу удалось подобрать такие дозы воды, которые усыпляли бы человека ровно на шесть месяцев — ни больше ни меньше. Эти опыты отняли у Беллино и его помощников много времени.

С разрешения семи королей, которые ещё не знали, к чему всё это клонится, доктора усыпляли ремесленников и пахарей. Те охотно соглашались, потому что долгий спокойный сон давал им отдых от тяжёлой работы.

Наконец опыты закончились. Было найдено и отмерено такое количество чудесного напитка, которое усыпляло взрослого мужчину как раз на полгода. Для женщины этого напитка требовалось меньше, а для ребёнка — совсем немного.

БОЛЬШОЙ СОВЕТ

Когда все подготовительные работы завершились, Беллино попросил королей собраться на Большой Совет. По обычаю, на таком Совете присутствовали все короли с семьями, их министры и придворные.

Необычайно красочное зрелище представлял собою Круглый зал Радужного дворца, где заседал Большой Совет. Ярко освещённый гирляндами фосфорических шариков, он разделялся на семь секторов, каждый для придворного штата одного из королей. И каким разнообразием отличались одежды подземных владык и их придворных!

В одном секторе блистали всевозможные оттенки зелёного цвета — от самого тёмного до нежно-изумрудного. Другой поражал переливами красного в чудесных сочетаниях. А дальше шли строгие синие и фиолетовые цвета, небесно-голубой, солнечно-жёлтый... Здесь побледнела бы от зависти сама радуга, если бы спустилась с неба в этот огромный подземный зал.

Глаз, утомлённый однообразными бурыми, коричневыми, тёмно-красными тонами, преобладавшими в природе Подземной страны, отдыхал и нежился на этом буйном празднике ярких красок. Как видно, недаром мудрый король Карвенто ещё двести лет назад издал закон, приказывавший вносить как можно больше цветных пятен в скудную окраску подземелья. По приказу Карвенто стены домов, столбы, огораживавшие земельные участки, дорожные указатели окрашивались в яркие бирюзовые, голубые, жемчужные тона.

Вошёл последний запоздавший король с женой и двумя сыновьями, и можно было начинать собрание.

С разрешения царствовавшего в том месяце короля Асфейо слово взял Хранитель времени Беллино. Он начал говорить о том трудном положении, в каком находится страна. В ней давно уже не хватает рабочих рук, с каждым годом поступает всё меньше налогов, а из-за этого приходится ограничивать роскошь королевских дворов...

— Позор! Безобразие! — раздались возгласы с тех мест, где сидели короли.

— Я согласен с тем, что этому надо положить конец, — спокойно согласился Беллино, — и, кажется, нашёл средство.

— Гм, интересно, — крякнул король Асфейо. — Послушаем.

И Беллино рассказал о своём необычайном замысле. Наступила долгая томительная тишина. Люди обдумывали, как им отнестись к этому дерзкому предложению. А Беллино начал соблазнять королей выгодами нового плана:

— Вы подумайте, Ваши Величества, как это будет для вас удобно! Сейчас вы отцарствовали один месяц и потом томитесь от безделья целых полгода, ожидая своей очереди. Отсюда — всякие ссоры и интриги. А тогда время от одного до другого царствования будет для вас пролетать как одна минута. Вся ваша жизнь станет одним сплошным царствованием, прерываемым лишь незаметно проходящими периодами волшебного сна. Но ведь вы и теперь спите каждые сутки!

— А это здорово придумано! — воскликнул один из королей.

— Конечно, здорово! — подхватил Беллино, обрадованный поддержкой. — И помимо всего прочего, я и почтенные доктора Бориль и Робиль (оба доктора встали и важно поклонились собранию) установили, что этот сон, хотя и долгий, совершенно не влияет на продолжительность жизни, он просто вычёркивается из неё. Вместо отведённых вам природой шестидесяти лет вы будете жить, господа, по четыреста лет, срок вашей жизни возрастёт в семь раз!

Ошеломлённые таким заманчивым предложением, члены Совета долго молчали. А потом король Уконда в восторге воскликнул:

— Решено! Я первым ложусь спать!

— Почему первым? — ревниво воскликнул король Асфейо. — Срок моего правления истекает на той неделе, значит, я и ухожу на покой! А вы, Ваши Величества, ждите своей очереди!

Королева Ринна спросила:

— А нужно ли усыплять придворных и лакеев? Быть может, на всех не хватит чудесной воды?

— Воды хватит, — успокоил её доктор Бориль. — Да и что станут делать придворные, солдаты и шпионы, пока короли спят? Строить разные коварные замыслы?..

— Нет, нет, — в один голос закричали короли и королевы. — Усыплять, так всех усыплять!..

НОВЫЙ ПОРЯДОК В ПЕЩЕРЕ

В первый же день появления чудесной воды король Асфейо был усыплён со всей семьёй, с придворными, слугами, воинами и шпионами. Странно было смотреть, как сначала сам король, а потом его жена и дети выпивали из хрустальных кубков точно отмеренные докторами дозы воды и тотчас опускались на мягкий ковёр, охваченные необоримым сном. За ними пришла очередь придворных слуг, воинов, шпионов. Лакеи короля Уконды, который вступил на престол после Асфейо, с шутками и смехом переносили уснувших в специальную кладовую и укладывали на полки, расположенные в несколько ярусов. Там их пересыпали порошком от моли. А чтобы спящих не обгрызли мыши, которых в Стране Подземных рудокопов было множество, в кладовой поселили двух ручных сов, заменявших в Пещере кошек.

Проходил месяц за месяцем — и новые партии спящих заполняли новые кладовые. Население страны начало чувствовать облегчение: меньше требовалось продуктов в королевский дворец, больше оставалось простым людям.

Но всю выгоду великой идеи Беллино люди поняли через полгода, когда из семи шумных башен Радужного дворца шесть стали тихи и пустынны и только в одной бурлила жизнь. Там шли пиры, гремела музыка, раздавались заздравные песни, но терпеть это было неизмеримо легче, чем в прежнее время, когда веселью предавались все семь королевских дворов разом.

Хранитель времени Беллино был окружён необычайным почётом. Люди при встречах кланялись ему до земли, пока он, скромный от природы, не запретил это. Конечно, сам Беллино не пил чудесного напитка и не погружался в очарованный сон: ему поручили следить за порядком смены королей. И он делал это так хорошо, что народ постановил:

— Не нужно семи Хранителей времени, теперь они вносят путаницу. Пусть один Беллино будет бессменным Хранителем времени и выбирает помощников по своему вкусу. А когда ему придёт пора уходить на покой, народ выберет его преемника из самых почётных и уважаемых граждан Подземной страны.

Так и повелось с той поры.

Для Хранителя времени и его помощников самым беспокойным временем были дни, когда просыпалась очередная партия спящих и надо было в какие-нибудь три дня всех обучить ходьбе, речи, восстановить память...

А потом для партии проснувшихся наступал месяц беспрерывного бодрствования. За полгода покоя они накапливали столько сил, что ежедневный сон не был им нужен, и они весь месяц отдавались веселью. За пиром шла охота на Шестилапых, потом дальняя прогулка, рыбная ловля, поездка на крылатых ящерах, и снова начинался пир...

Королю некогда было управлять страной и издавать новые законы. Незаметно получилось так, что бремя правления и все государственные заботы пали на Хранителя времени, а за королями оставались только почёт да титул.

Ещё Беллино позаботился о сохранении источника, который получил название Священного. А потом и саму пещеру тоже прозвали Священной. Бассейн, в котором появлялась вода, был заключён в круглую красивую башенку из разноцветного кирпича, и у входа в неё всегда стоял караул.

Усыпительную воду объявили государственной собственностью, и кто хотел получить порцию такой воды, должен был взять разрешение от Хранителя времени и двух докторов, потомков Бориля и Робиля. Такие случаи бывали, если в какой-нибудь семье происходили неприятности и ссоры. Муж и жена засыпали на несколько месяцев, а когда просыпались, всё прошлое забывалось.

Так проходил век за веком в этой стране, отделённой от верхнего мира огромной толщей земли и соединённой с ним только одним выходом, где велась торговля между рудокопами и обитателями Голубой страны.

За прошедшие столетия характер подземных жителей сильно изменился: они стали подозрительными, боялись каких-то коварных замыслов верхних людей, и стражи с луками и стрелами наготове то и дело летали на драконах под потолком Пещеры, высматривая врагов.

Века шли, и в Подземной стране сменились многие поколения простых людей, только в Радужном дворце жизнь шла совсем медленно. За семьсот лет, протёкших со Дня Первого Усыпления, не более двух раз переменились семь подземных королей, их приближённые и слуги.

Умственно эти люди не менялись за всю свою долгую жизнь. Ведь они, просыпаясь после очередного сна, забывали всё, что раньше знали, их приходилось учить всему заново, а многому ли научишь человека, когда весь курс учения продолжается три-четыре дня?

И народ уже начал размышлять, нужны ли стране вообще эти семь королей, которые спят или пируют, но не занимаются делами государства. Однако слишком ещё велико было почтение к монархам, унаследованное людьми от предков, и мало кто всерьёз задумывался над тем, как свергнуть королей и жить без них.

Неожиданный случай разрушил порядок, веками сложившийся в Подземной стране, и всё перевернул.

ЕЩЁ НЕСКОЛЬКО СТРАНИЦ ИЗ ИСТОРИИ ВОЛШЕБНОЙ СТРАНЫ

Удивительное событие произошло однажды в Волшебной стране. Это случилось ровно через триста лет и четыре месяца после того, как зверолов Ортега нашёл в лабиринте Усыпительную воду. На материке, который к тому времени уже стал называться Американским, жили в разных концах четыре волшебницы: две добрые и две злые. Добрых волшебниц звали Виллина и Стелла, а злых — Гингема и Бастинда; злые волшебницы были родными сёстрами, но вечно враждовали и знать не хотели друг друга. Людские поселения придвигались всё ближе к убежищам волшебниц, и те, как некогда могучий Гуррикап, решили переменить своё местожительство.

Странно, что эта мысль пришла в голову всем феям, но чего только не бывает на свете! Волшебницы посмотрели в свои магические книги, и всем им пришлась по душе Волшебная страна, отделённая от мира Великой пустыней и неприступными горами.

Книги также сказали им, что страну населяют тихие маленькие люди, которых легко подчинить, и что там нет ни одного волшебника или волшебницы, с которыми пришлось бы бороться за власть.

Но четыре феи были неприятно поражены, когда, добравшись разными путями до Волшебной страны (и, конечно, не забыв захватить свои волшебные пожитки!), они встретились лицом к лицу.

— Это — моя страна! — взвизгнула высохшая от вечной злости Гингема. — Я первая явилась сюда!

И действительно, она опередила своих соперниц на целый час.

— Ваши аппетиты слишком велики, сударыня, — насмешливо заметила красавица Стелла, обладавшая секретом вечной юности. — Нам всем хватит места в этой большой стране.

— Ни с кем не хочу делиться, даже с сестрой Гингемой, — заявила одноглазая Бастинда с чёрным зонтиком под мышкой, который переносил колдунью с места на место на манер ковра-самолёта. — Знайте, феи, что, если дойдёт до драки, вам придётся плохо...

Добродушная седая Виллина ничего не сказала. Она вынула из складок своей одежды крошечную книжечку, подула на неё, и книжечка обратилась в огромный том. Другие волшебницы посмотрели на Виллину с уважением: сами они не умели так обращаться со своими волшебными книгами и таскали их с собой в натуральном виде.

Виллина начала перебирать листы книги, бормоча:

— Абрикосы, ананасы, Африка, бинты, булки... ага, вот оно... война! — Волшебница прочитала несколько строк про себя и торжествующе усмехнулась: — Хотите воевать? Давайте!

Гингема и Бастинда струсили. Они поняли: борьба будет серьёзная, и, наверное, волшебная книга Виллины сулит им поражение. И четыре феи кончили дело полюбовно.

Конечно, книги сказали им о существовании какой-то Пещеры, но туда никто пойти не захотел. По воле жребия Гингеме досталась Голубая страна, Виллине — Жёлтая, Бастинде — Фиолетовая, Стелле — Розовая. А центральную область они оставили свободной, чтобы она разделяла их владения и им реже приходилось встречаться. Волшебницы даже договорились, что никто из них не будет надолго покидать свою страну, и дали в том клятву. Потом отправились — каждая в свою сторону.

К тому времени в Волшебной стране королевская власть сохранилась только в Пещере: наверху её нигде уже не было. Народам надоело терпеть королей, которые постоянно враждовали и затевали войны. Они восстали и свергли тиранов. Мечи были перекованы на серпы и косы, и народы зажили спокойно.

Племя людей, прежде населявшее Голубую страну, куда-то ушло, а вместо него появились маленькие человечки, имевшие смешную привычку постоянно двигать челюстями, как будто они что-то пережёвывали.

За это их прозвали Жевунами.

Это был злосчастный день для Жевунов, когда в их стране появилась колдунья Гингема. Взобравшись на высокую скалу, она так пронзительно заверещала, что её услышали жители всех окрестных деревень и собрались на зов. И тогда, глядя на трепещущих от страха человечков, злая старуха сказала:

— Я, могучая волшебница Гингема, объявляю себя повелительницей вашей страны. Моя власть беспредельна. Я могу вызывать бури и ураганы...

На лицах Жевунов появилось недоверие.

— Ах, вы ещё сомневаетесь? — рассвирепела Гингема. — Так вот же вам! — Она распростёрла полы своей чёрной мантии и забормотала непонятные слова: — Пикапу́, трикпапу́, ло́рики, ёрики, турабо́, фурабо́, ско́рики, мо́рики...

И тотчас подул сильный ветер, а на небе появились чёрные тучи. Испуганные Жевуны упали на колени и признали власть Гингемы.

— Я не буду вмешиваться в ваши дела, — сказала волшебница. — Сейте хлеб, разводите кур и кроликов, но мне будете платить дань: собирать для меня мышей и лягушек, пиявок и пауков — этими лакомствами я питаюсь.

Жевуны ужасно боялись лягушек и пиявок, но Гингема была страшнее, они поплакали и смирились.

Гингема выбрала для жилья большую пещеру, развесила под потолком связки мышей и лягушек, зазвала из леса филинов. Жевуны даже близко не подходили к пещере волшебницы.

Но им нужны были металлы для кос, серпов, плугов и драгоценные камни для украшений. Поэтому они продолжали торговать с подземными рудокопами и в определённые дни собирались у Торговых ворот, ожидая звука полночного колокола.

Самих рудокопов Жевуны никогда не видали. В течение столетий те так отвыкли от дневного света, что могли появляться наверху только в полной темноте, когда Жевуны спали.

Бастинда так же легко, как и её сестра, захватила власть над Фиолетовой страной, которую населяли смирные трудолюбивые Мигуны, получившие такое прозвище за то, что беспрестанно мигали.

Колдунья приказала построить себе дворец, заперлась в нём с несколькими слугами и жила там, всеми ненавидимая.

Зато жителям Жёлтой и Розовой страны повезло: власть над ними приняли добрые Виллина и Стелла, эти волшебницы не угнетали свои народы, а всячески им помогали и старались улучшить их житьё.

Так шли дела в Волшебной стране в продолжение столетий, а потом случилось событие, на первый взгляд незначительное, но имевшее важные последствия.

В Америке, в штате Канзас, жил неудачник по имени Джеймс Гудвин. Не то чтобы он был ленив или глуп, а просто ему не везло в жизни. За какое бы дело он ни брался, у него ничего не получалось. Наконец он купил воздушный шар и начал подниматься в воздух во время ярмарок на потеху зевакам, с которых собирал деньги за представление. Как-то раз случился ураган, верёвка, которой был привязан шар, лопнула, ветер подхватил его и занёс вместе с Гудвином в Волшебную страну.

На счастье Гудвина, ураган забросил его в центральную часть страны, свободную от власти волшебниц. Но сбежавшиеся люди, видя, что этот человек спускается с неба, приняли его за великого чародея. Гудвин не стал их разубеждать.

В течение нескольких лет он построил великолепный город и выменял для его украшения множество изумрудов у жителей Подземной страны. Свой город Гудвин назвал Изумрудным, а когда его постройка окончилась, он заперся от людей в роскошном дворце и распустил слух, что он самый могучий чародей на свете и может творить необыкновенные чудеса.

Посетителям Гудвин являлся в различных странных видах, пугавших людей. И голос, таинственно доносившийся со стороны, говорил всем:

— Я — Гудвин, Великий и Ужасный! Зачем ты отрываешь меня от мудрых размышлений?

Гудвин очень старался поддержать свою славу великого волшебника. Это ему удавалось хорошо, и он совершил только одну крупную ошибку: задумал захватить владения Бастинды. Война была короткой. Летучие Обезьяны, которыми повелевала злая фея, быстро разбили войско Гудвина и самого его чуть не захватили в плен. Но ему удалось бежать. С той поры прошло много лет, о неудаче Гудвина позабыли, и даже феи считали его великим чародеем.

Гудвина разоблачила маленькая девочка Элли, случайно попавшая в Волшебную страну. Вышло это так.

ПЕРВОЕ ПУТЕШЕСТВИЕ ЭЛЛИ В ВОЛШЕБНУЮ СТРАНУ

Элли с родителями жила в обширной канзасской степи. Домиком им служил лёгкий фургон, снятый с колёс и поставленный наземь. Однажды злая Гингема решила погубить весь род людской и наколдовала ураган страшной силы, долетевший даже до Канзаса. Но добрая Виллина обезвредила ураган и позволила ему захватить только один фургон в канзасской степи: волшебная книга сказала ей, что он всегда пустует во время бурь.

Но и волшебные книги иногда знают не всё: в фургоне оказалась Элли, вбежавшая туда за своим пёсиком Тотошкой. Домик был занесён в Волшебную страну и упал на голову злой Гингемы, любовавшейся грозой; колдунья погибла.

Элли оказалась в чужой стране одна, без друзей, если не считать Тотошки, который в Волшебной стране вдруг заговорил, страшно удивив свою маленькую хозяйку.

Но на помощь Элли явилась Виллина, добрая волшебница Жёлтой страны. Она посоветовала девочке идти в Изумрудный город к великому волшебнику Гудвину, который вернёт её в Канзас к папе и маме, если она, Элли, поможет трём существам добиться исполнения их заветных желаний. Так сказала волшебная книга. Потом Виллина исчезла: она улетела в свою страну.

А пока Элли беседовала с Виллиной, Тотошка, шнырявший по окрестностям, побывал в пещере Гингемы и принёс оттуда в зубах красивые серебряные башмачки — самую большую ценность колдуньи. Жевуны, собравшиеся на месте гибели Гингемы, уверили девочку, что в этих башмачках заключена волшебная сила, но какая, они не знали.

Жевуны снабдили Элли провизией, она надела серебряные башмачки, которые пришлись ей впору, и они с Тотошкой пошли в Изумрудный город по дороге, вымощенной жёлтым кирпичом.

По пути к Гудвину Элли нашла новых друзей. В пшеничном поле Элли сняла с кола Страшилу — чучело, которое могло ходить и говорить и у которого было заветное желание — получить умные мозги для своей соломенной головы. Страшила пошёл с Элли в Изумрудный город, к Гудвину.

В глухом лесу Элли и Страшила спасли от гибели Железного Дровосека. Он целый год простоял у дерева с поднятым тяжёлым топором, потому что его захватил дождь в то время, когда он забыл в хижине маслёнку, и его железные суставы заржавели. Элли принесла маслёнку, смазала Дровосека, и он стал как новенький. Он тоже пошёл с Элли и Страшилой в Изумрудный город в надежде, что Гудвин даст ему любящее сердце для его железной груди, а получить любящее сердце было заветным желанием Дровосека.

Следующим в этой странной компании оказался Трусливый Лев, заветной мечтой которого было получить смелость. Он тоже отправился с Элли к Гудвину.

По дороге в Изумрудный город Элли и её спутники испытали много опасных приключений: победили Людоеда, сражались с ужасными саблезубыми тиграми, переправлялись через широкую реку,

попали в коварное маковое поле, где Элли, Тотошка и Лев чуть не уснули навсегда от запаха маков. Во время этого последнего приключения Элли познакомилась и подружилась с королевой полевых мышей Раминой. Рамина дала девочке волшебный серебряный свисточек, впоследствии очень ей пригодившийся.

Но вот все преграды остались позади, и Элли со спутниками оказалась в прекрасном дворце Гудвина. При входе в город на них надели зелёные очки, и всё заблистало перед ними разными оттенками зелёного цвета.

По их просьбе Гудвин принял странников, но каждый должен был приходить к нему поодиночке. Перед Элли он предстал в виде огромной Живой Головы, голос которой доносился откуда-то со стороны. Голос сказал:

— Я — Гудвин, Великий и Ужасный! Кто ты такая и зачем беспокоишь меня?

— Я — Элли, маленькая и слабая, — ответила девочка. — Я пришла издалека и прошу у вас помощи.

Элли рассказала Голове свои приключения и просила помочь вернуться в Канзас, к папе и маме. Когда Голова узнала, что Элли из Канзаса, её голос как будто подобрел. И всё же волшебник потребовал:

— Иди в Фиолетовую страну и освободи её жителей от злой Бастинды. И тогда я возвращу тебя домой.

Такое же требование — избавить Мигунов от Бастинды — Гудвин предъявил Страшиле, Железному Дровосеку и Льву, когда они обратились к нему, прося исполнить их желания.

Опечаленные друзья отправились в Фиолетовую страну, хотя совсем не надеялись победить могучую Бастинду. И, однако, злой волшебнице пришлось истратить все свои волшебства, прежде чем она сумела одолеть смелых путников. По её приказу подвластные ей Летучие Обезьяны выпотрошили Страшилу, сбросили в овраг Железного Дровосека и принесли в Фиолетовый дворец Элли, Льва и Тотошку.

Долго они томились в плену без надежды на освобождение. И это освобождение пришло случайно. Оказалось, что колдунья боялась воды: пятьсот лет она не умывалась, не чистила зубов, пальцем не прикасалась к воде, потому что ей предсказана была смерть от воды.

И случилось так, что рассерженная Элли окатила Бастинду ведром воды, когда та пыталась украсть у неё волшебные серебряные башмачки. Бастинда растаяла, и страна Мигунов освободилась от её владычества.

Восхищённые Мигуны починили костюм Страшилы и набили его свежей соломой. А Железного Дровосека они разобрали на части, собрали вновь, исправив все его члены и отполировав их до невыносимого блеска. Дровосек так им понравился, что Мигуны попросили его стать их правителем, и он обещал вернуться к ним, когда получит от Гудвина сердце.

Друзья возвратились в Изумрудный город с победой, но Гудвин не спешил выполнять свои обещания. Рассерженная компания ворвалась к нему в тронный зал, и там Тотошка обнаружил за незаметной ширмой маленького старичка в полосатых брюках.

Элли и её спутники очень разочаровались, когда этот перепуганный маленький человек оказался великим и ужасным волшебником Гудвином. Гудвин рассказал им свою историю, признался, что много лет морочил людям головы, но закончил так:

— Ваши желания я исполню, друзья мои! Всё-таки я столько лет был волшебником, что многому научился.

Гудвин снял со Страшилы голову, вытряхнул из неё солому и набил её отрубями, смешав их с иголками и булавками.

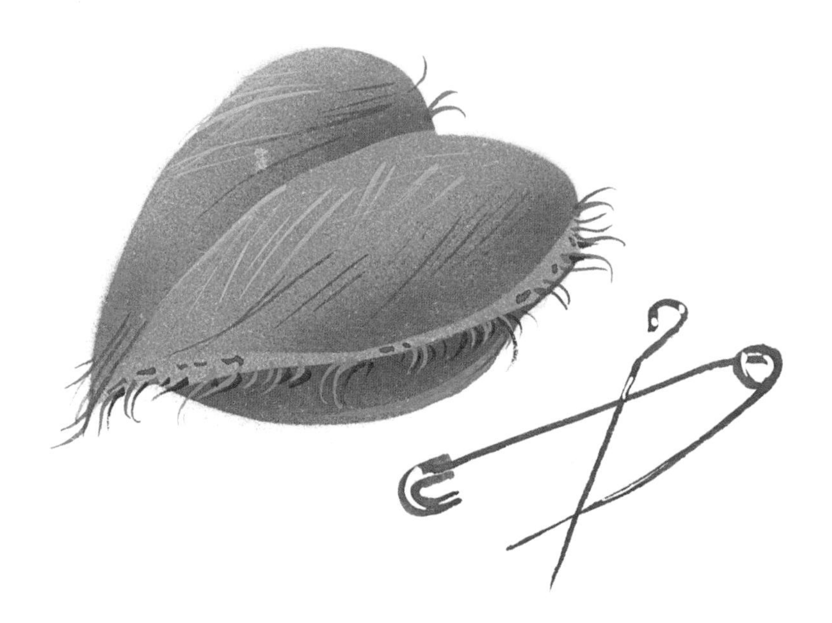

— У вас теперь необычайно острый ум, друг мой, — сказал Гудвин, — только научитесь им пользоваться.

— О, я обязательно научусь! — в восторге вскричал Страшила.

Дровосеку Гудвин вырезал отверстие в его железной груди, подвесил внутрь красное шёлковое сердце, набитое опилками, и запаял дырку. Сердце стучало о грудную клетку, когда Дровосек ходил, и добряк пришёл в восхищение.

А Льву разоблачённый волшебник дал выпить смелости из большого блюда, и Лев заявил, что он стал храбрее всех зверей на свете.

Так исполнились заветные желания трёх друзей, значит, и Элли пришла пора возвратиться в Канзас, как предсказала волшебная книга Виллины.

Но тут вышла неудача, хотя книга Виллины была в этом не виновата.

Гудвин заявил, что ему надоела роль волшебника и он хочет вернуться в Канзас вместе с Элли. Для путешествия он починил воздушный шар, на котором прилетел в Волшебную страну. На беду, случилось так, что порыв ветра унёс шар прежде, чем туда успела войти Элли, и девочка осталась в Волшебной стране.

Правителем Изумрудного города Гудвин оставил вместо себя Страшилу Мудрого. Новый правитель созвал друзей, и было решено всем вместе отправиться к доброй волшебнице Стелле в надежде, что она поможет.

И Стелла действительно помогла. Правда, прежде чем добраться до неё, путники пережили ещё много опасных приключений, но, выручая друг друга, они всё преодолели.

Стелла открыла Элли тайну серебряных башмачков. Оказалось, что достаточно было пожелать, и башмачки перенесут тебя хоть на край света.

— Если бы ты знала силу башмачков, — сказала Стелла, — ты могла бы вернуться домой в тот самый день, когда ураган занёс тебя в нашу страну.

— Но тогда я не получил бы моих удивительных мозгов и не стал бы правителем Изумрудного города! — воскликнул Страшила. — Я до сих пор пугал бы ворон на пшеничном поле.

— А я не получил бы моего любящего сердца, — сказал Железный Дровосек. — Я стоял бы в лесу и ржавел, пока не рассыпался бы в прах.

— А я до сих пор оставался бы трусом, — сказал Лев, — и не сделался бы царём зверей.

— Я ничуть не жалею, что всё это так получилось, — молвила Элли. — Я очень рада, что нашла вас, мои милые, верные друзья, и помогла вам добиться исполнения ваших заветных желаний.

Потом девочка со слезами распрощалась со Страшилой Мудрым, с Железным Дровосеком, со Смелым Львом, поблагодарила Стеллу за добрую помощь, прижала к себе Тотошку и приказала:

— А теперь, башмачки, несите меня в Канзас, к папе и маме!

И всё слилось перед её глазами, солнце заискрилось на небе огненной дугой, и, прежде чем Элли успела испугаться, она очутилась на лужайке перед новым домиком, который построил её отец взамен фургона, унесённого ураганом.

А башмачки Элли потеряла во время третьего, последнего шага к домику, и это неудивительно: ведь в Канзасе нет места чудесному.

ВТОРОЕ ПУТЕШЕСТВИЕ ЭЛЛИ В ВОЛШЕБНУЮ СТРАНУ

Ещё в то время, когда Голубой страной правила Гингема, там жил злой и хитрый столяр Урфин Джюс. Он не любил своих соплеменников и построил себе дом в лесу, неподалёку от пещеры Гингемы. А потом он пошёл на службу к колдунье и помогал ей собирать дань с Жевунов.

Через несколько месяцев после гибели Гингемы над Волшебной страной пронеслась буря. Она занесла в огород Урфина семена неизвестного растения, которое быстро заполонило грядки. Чем больше старался Урфин выполоть сорняки, тем гуще они разрастались: так велика была их жизненная сила. Наконец столяр выдергал растения с корнем, мелко изрубил их и высушил на железных противнях.

Полученный столяром бурый порошок оказался живительным. Джюс нечаянно просыпал щепотку на медвежью шкуру — и шкура ожила, начала ходить и говорить. Урфин оживил деревянного клоуна, и тот укусил своего хозяина за палец.

Тогда у Джюса зародился честолюбивый план: сделать мощных деревянных солдат, оживить их и стать с их помощью повелителем Волшебной страны. Урфин был искусным столяром и исполнил свой замысел. С армией дуболомов он покорил сначала страну Жевунов, а потом и Изумрудный город, которым правил преемник Гудвина — Страшила Мудрый.

Нелегко досталось Урфину завоевание Изумрудного города. Страшила, Длиннобородый Солдат Дин Гиор, Страж Ворот Фарамант, многочисленные вооружённые горожане храбро отбивали все атаки дуболомов Урфина Джюса. Тогда Джюс пошёл на хитрость. Он послал в город служившего ему филина Гуамоко с приказом найти среди горожан изменника. И филин его нашёл: изменником оказался завистливый богач Руф Билан, сам мечтавший стать правителем города. Ночью Руф Билан открыл врагам ворота, и Изумрудный город сделался добычей неприятеля.

За своё предательство Руф Билан получил награду: король Урфин сделал его своим первым министром. Нашлось в городе и ещё несколько предателей. Урфин дал им звание советников.

Страшила и Железный Дровосек стали пленниками Урфина. Когда они отказались служить самозваному королю, Джюс посадил их на верхушку высокой башни, стоявшей невдалеке от города. Там они должны были находиться в заключении, пока не покорятся Урфину.

Но друзья и не думали покоряться. К ним пробралась через решётку их добрая знакомая, ворона Кагги-Карр, та самая, что посоветовала Страшиле раздобыть умные мозги. Пленники решили отправить ворону в Канзас, чтобы она призвала на помощь Элли. Дровосек нацарапал иголкой на древесном листе послание к Элли, и Кагги-Карр отправилась в далёкий опасный путь. Ей удалось разыскать девочку и отдать ей письмо.

На ферме у Смитов гостил в то время брат миссис Анны, одноногий моряк Чарли Блек, весёлый, предприимчивый человек. Элли очень подружилась с дядюшкой Чарли, рассказывала ему о своих приключениях в Волшебной стране и потихоньку созналась, что скучает по оставленным там милым друзьям. И вдруг от них пришла весточка, сообщавшая, что Страшила и Дровосек в беде!

Элли упросила родителей, и они разрешили ей снова отправиться в Волшебную страну с дядюшкой Чарли. Элли звала с собой Гудвина, содержавшего бакалейную лавочку в соседнем городке, но тот наотрез отказался.

— Хватит с меня волшебников и волшебниц и всяких волшебных дел! — сказал он. — Надоело мне всё это до смерти!

Элли и Чарли Блек отправились вдвоём, захватив с собой Тотошку. Когда они подошли к Великой пустыне, дядя Чарли, мастер на все руки, достал из рюкзака инструменты и сделал сухопутный корабль на четырёх широких колёсах. На нём был поднят парус, путники пересекли пустыню, хотя чуть не погибли от жажды, притянутые магическим Чёрным камнем Гингемы. Потом они перебрались через горы и очутились в стране Жевунов. Там Элли и моряк узнали, что им предстоит нелёгкая задача — одолеть коварного Урфина Джюса и его деревянных солдат.

Но они не испугались, вызвали на помощь Льва и двинулись в Изумрудный город по дороге, вымощенной жёлтым кирпичом. Тут Элли и её друзей, как и в первый раз, встретили многие опасности, но изобретательность моряка помогла им их преодолеть. Когда они приблизились к Изумрудному городу, оказалось, что пробраться туда нельзя, он был окружён солдатами и полицейскими Урфина Джюса.

Элли подула в серебряный свисточек, и перед ней очутилась фея Рамина, королева полевых мышей. Рамина рассказала девочке, что неподалёку начинается подземный ход, ведущий в подвал той башни, на верхушке которой заключены Страшила и Дровосек. Но королева мышей предупредила Элли, что этот ход идёт мимо Страны Подземных рудокопов, и советовала ей быть осторожной и не совать нос в их дела.

Предупреждение было сделано кстати. Элли чуть не поплатилась жизнью за любопытство, когда рассматривала чудеса подземного мира из случайно обнаруженного окошка. Страж, летевший на драконе под потолком Пещеры, пустил в неё стрелу, и девочка уцелела чудом.

Пока происходили все эти события, Урфин правил Волшебной страной. Но невесело ему жилось. Чтобы развлечься, он устраивал пиры, но никто из горожан не приходил на них, а слушать угодливые речи министров королю надоело.

Урфин прослышал, что в страну явилась Элли со своим дядей, которого маленькие Жевуны прозвали Великаном из-за гор. Готовясь к борьбе с пришельцами, Урфин Джюс делал всё новые партии деревянных солдат, оживляя их чудесным порошком. Эта работа страшно его утомляла, но потом живительный порошок кончился.

Несмотря на всю бдительность полицейских и дуболомов, Элли и Чарли Блек освободили из плена Дровосека, Страшилу, Длиннобородого Солдата и Стража Ворот Фараманта, и все они пошли в Фиолетовую страну. Там они вооружили Мигунов и выступили с ними против деревянной армии Урфина Джюса. Главной надеждой моряка была деревянная пушка, высверленная из толстого бревна, для которой Чарли Блек сам сделал порох.

И пушка не подвела. Её единственный выстрел решил исход битвы. Деревянные солдаты боялись огня, и, когда на их головы посыпались горящие тряпки и раскалённые угли, дуболомы в ужасе бежали.

Урфин Джюс попал в плен. Его судили и отправили в изгнание. Воинственные дуболомы сделались милыми трудолюбивыми работниками, потому что по предложению Страшилы им вместо свирепых рож вырезали весёлые улыбающиеся лица.

Изменники-горожане, служившие Урфину Джюсу, были наказаны, только самый главный предатель, первый министр Руф Билан, куда-то исчез.

И снова маленькая девочка Элли Смит из Канзаса рассталась со своими верными друзьями...

КАТАСТРОФА

...Руф Билан бежал. Его короткие толстые ноги заплетались, дыхание с хрипом вырывалось из широко открытого рта. Фонарь колебался в дрожащей руке Руфа, слабо освещая дорогу.

Остановиться бы, отдохнуть!.. Но сзади доносился тяжкий топот ног Железного Дровосека. И непобедимый страх гнал беглеца вперёд.

Весть о решительной битве и разгроме деревянной армии принесли Руфу Билану быстроногие полицейские, удравшие с поля битвы. Другие королевские советники, сослуживцы Билана, решили покаяться перед народом и просить прощения. Но их вина была невелика в сравнении с преступлением Руфа. Вряд ли он получил бы пощаду за гнусное предательство. И Руф Билан решил скрыться.

Но во всей Волшебной стране не нашлось бы человека, который укрыл бы Билана от народного гнева.

«Я спрячусь в подземном ходе», — решил Билан.

Предатель так спешил покинуть город, что не захватил с собой ничего съестного и взял только фонарик с масляной лампочкой внутри: ведь в подземном ходе вечный мрак.

Украдкой Руф Билан пробрался в подвал башни, на верхней площадке которой содержались в плену Дровосек и Страшила. Этот подвал отделялся от подземелья прочной дверью. Но в двери моряк Чарли пропилил отверстие, когда в компании с Элли и её друзьями явился сюда освобождать пленников. Через это отверстие выбрались на свободу Дровосек и Страшила, а теперь с трудом протиснулся толстый Руф Билан.

Беглец поспешно высек огонь, зажёг фитилёк лампочки и бросился в темноту подземелья. Вскоре он услышал за собой тяжёлую поступь Железного Дровосека. Тот кричал:

— Вернись, безумный человек! В Пещере чудовища! Тебе грозит гибель!..

Но для ослеплённого страхом Руфа Билана всё было лучше, чем возвращение в город, который он предал врагам. Ужас гнал его вперёд и вперёд, и наконец, заметив в стене подземного коридора чёрное отверстие, Руф, не раздумывая, бросился в него. Перед ним открылся узкий извилистый ход, и Руф Билан, стараясь не шуметь, прокрадывался дальше и дальше. Шаги и голос Железного Дровосека не стали слышны: как видно, он потерял след беглеца.

— Спасён! — вздохнул Руф Билан, упал на каменный пол и лишился сознания.

Фонарь выпал из его рук, лампочка, мигнув, погасла, и непроглядная тьма окружила Билана.

Руф Билан очнулся. Он не знал, долго ли лежал без чувств, но его руки и ноги онемели, он с трудом поднялся. Только теперь он вполне понял ужас своего положения. Один, без пищи и воды, без света, потому что масла в лампочке едва хватит на три-четыре часа...

«Пойду обратно и сдамся, — решил Билан. — Там мне, быть может, сохранят жизнь, а здесь я погибну от голода и жажды в жестоких муках...»

Он засветил фонарь и пошёл. Но после обморока Руф Билан не сумел взять нужное направление и не приближался к оставленному им главному коридору, а удалялся от него. Он догадался об этом не скоро, когда узкий ход вдруг расширился и превратился в обширную круглую Пещеру, в стенах которой виднелось несколько отверстий.

Прежде чем беглец сумел обдумать свои действия, он вышел на середину Пещеры и осмотрелся.

— Я не был здесь, — сказал себе Руф, и слабый звук его голоса, многократно отразившись от стен, стал неожиданно гулким. — Значит, я шёл не в ту сторону. Но по какому ходу я сюда пришёл?

И тут ужас оледенил ему кровь: он не мог узнать, из какого коридора он вышел.

Потеряв способность размышлять, Руф Билан бросился в первое отверстие, которое попалось ему на глаза. Десять минут безрассудного бега привели его к стенке: ход оказался тупиком.

Вернувшись в знакомую Пещеру, Руф прежде всего положил камень у отверстия, из которого вышел.

— Я стану отмечать каждый ход, в котором побываю, — сказал Билан. — Так я не буду, по крайней мере, дважды проходить по одному и тому же месту...

Отдохнув несколько минут, Руф Билан углубился в соседний коридор. Когда этот коридор раздвоился, беглец избрал правый ход. Но вскоре Руфу снова пришлось выбирать одно из двух направлений. И чем дальше он шёл, тем причудливее становилось переплетение широких и узких, высоких и низких, прямых и кривых переходов. Эти ходы соединяли пещеры, то походившие на обширные пиршественные залы, до верха которых не достигал слабый свет фонаря, то напоминавшие круглые чаши с водой на дне, то загромождённые россыпью камней, выпавших из потолка...

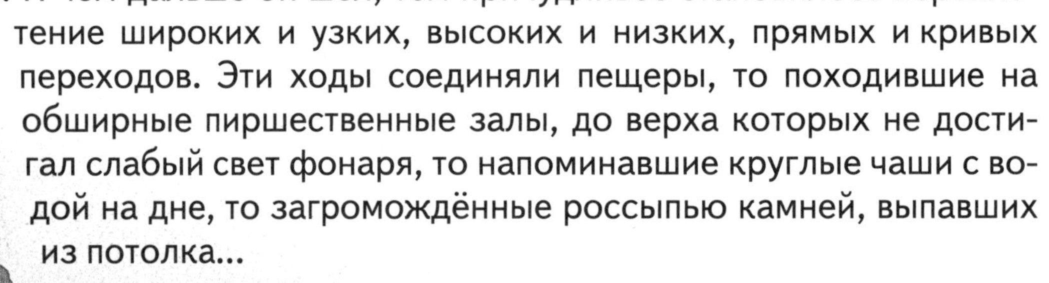

В бесцельных скитаниях прошло несколько часов. Сколько? Билан этого не знал, но видел, что лампочка в фонаре начала гаснуть: масло подходило к концу. Беглеца ждало худшее из испытаний: мрак лабиринта, в котором он сможет передвигаться только ползком, ощупывая дорогу...

Неожиданно что-то новое встретилось Билану в подземелье: ему преградила дорогу стенка, выложенная из разноцветного кирпича.

Дело людских рук! Значит, в этом таинственном лабиринте бывали люди! И быть может, они и теперь здесь и спасут скитальца от гибели.

Руф Билан остановился. Из-за перегородки слабо донеслись голоса. Так, он не ошибся, здесь люди, и они помогут ему... Руф огляделся: в сторонке валялась забытая каменщиками заржавленная кирка.

Опьянённый радостью беглец начал с отчаянной силой проламывать отверстие в кирпичной перегородке.

«Скорей, скорей! — думал он. — Туда! А то люди уйдут, и я останусь один в этой непроницаемой тьме...»

И действительно, фитилёк лампочки вспыхнул и угас, и мрак охватил Билана. Но в тот же момент стенка рухнула под его бешеными ударами, он услышал клокотание бегущей воды, а потом громкие крики.

Перед Руфом Биланом открылась небольшая круглая комната, слабо освещённая подвешенными к потолку фосфорическими шариками. В полу комнаты Билан заметил быстро пустевший бассейн, а с противоположной стороны открылась дверь, и вбежали три человека в остроконечных шапках с прикреплёнными к ним светильниками. Лица людей были бледны, они испуганно смотрели на Руфа огромными чёрными глазами.

— Беда! — вскричал один из подземных жителей. — Священный источник опустел!

Руф Билан содрогнулся. Он ещё не понимал, что наделал, но почувствовал озноб. Как видно, он совершил тяжёлый проступок, и ему грозит кара.

— Кто ты такой и как здесь очутился? — сурово спросил один из вошедших, должно быть начальник, судя по его повелительной осанке.

— Я — несчастный изгнанник, я из верхнего мира, — дрожа, ответил Билан. — Меня преследовали, мне угрожала смерть, и я скрылся в этом подземелье.

— Нам известно, что верхние жители справедливы. Ты, наверно, совершил какое-нибудь злодейство, если тебя ждала такая кара, — проницательно заметил начальник стражи.

— Увы, это так, — сознался Билан и упал на колени. — Я помог врагам проникнуть в мой родной город, который они безуспешно осаждали.

— А, ты — предатель! — презрительно воскликнул начальник стражи. — И к этому гнусному преступлению ты здесь добавил второе: разрушил бассейн с Усыпительной водой как раз в то самое время, когда она поднималась из недр земли.

— Горе мне, горе! — запричитал Руф Билан. — Но я вторые сутки блуждаю в лабиринте, у меня исчезла надежда на спасение, и вдруг я услышал ваши голоса. Ну и понятно... потерял голову!

— Боюсь, что ты её потеряешь навсегда, — мрачно пошутил начальник стражи. — Сейчас я отведу тебя к королю Ментахо, чужестранец! А вы, друзья, — обратился он к подчинённым, — оставайтесь и следите за источником. Пусть один из вас поспешит в город, если вода появится снова. Боюсь только, что этого не случится...

— Иди, Реньо, всё будет сделано, — ответили остающиеся.

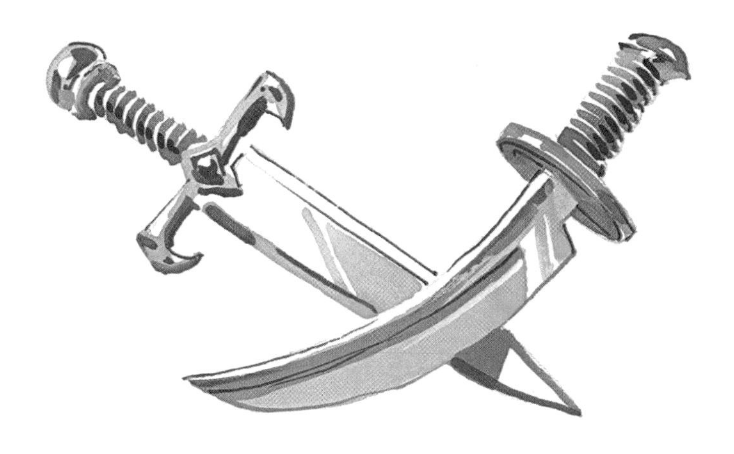

ДОРОГА К ГОРОДУ

Ход, по которому Реньо вёл пленника, временами раздваивался. Руф Билан заметил, что начальник стражи всякий раз направлялся по указаниям стрелок, нарисованных красной краской на стенах коридоров.

«Если бы я заметил эти знаки, я, быть может, выбрался бы из лабиринта и не разрушил бы эту проклятую стенку, — подумал Руф Билан. — Но почему они так дорожат этой водой?»

Если бы Руф знал в тот момент, какое значение имеет Усыпительная вода в жизни Подземной страны, волосы на его голове поднялись бы дыбом от ужаса. Но это оставалось для него загадкой, и потому он шёл довольно спокойно, надеясь, что ему удастся вывернуться.

«За то, что я сделал наверху, подземные рудокопы карать меня не вправе, — рассуждал предатель, — а разломанный бассейн... Ну что ж... Я починю его своими руками...»

Дорога всё время круто понижалась. Часто спускались по лестницам, каменные ступени которых были высечены человеческой рукой. Путь был долгим.

Но вот пол коридора стал горизонтальным, стены его раздвинулись, сияние шарика на шапке Реньо начало бледнеть, и впереди показался слабый свет, похожий на свет угасающего дня. Руф Билан увидел колоссальную Пещеру, освещённую клубящимися вверху золотистыми облаками. Кое-где на холмах виднелись деревушки, а в смутной дали угадывался город, обнесённый стеной.

«Так вот какова она, эта легендарная Подземная страна, о которой я слышал столько удивительных рассказов ещё в детстве», — сказал себе Билан и обратился к проводнику:

— Скажите, почтенный Реньо, как называется город, куда вы меня ведёте?

Вместо ответа он получил такой толчок в грудь, что еле устоял на ногах.

— Ни о чём не спрашивай, если тебе дорога жизнь! — грозно сказал Реньо. — В нашей стране низшие не имеют права задавать вопросы высшим!

В Руфе Билане заиграла былая спесь. Он хотел гордо возразить, что в верхнем мире занимал весьма высокое положение, но промолчал.

«Как видно, здесь надо надеяться только на свои глаза и уши», — подумал Билан и начал внимательно осматриваться.

Он увидел много интересного. Дорога пролегала между полей, кое-где огибая холмы. Её ограничивали расставленные по обочинам столбики, окрашенные в ярко-зелёные, голубые, серебристые тона. И как приятно было останавливаться на них глазу после блёклых сумрачных красок подземелья...

На одном из полей, примыкавших к дороге, шла пахота. В огромный плуг был впряжён шестилапый зверь. Косолапо шагая, он легко тащил плуг, из-под лемеха которого отваливались широкие пласты земли. За плугом шёл пахарь в холщовой куртке, в засученных панталонах, босой. На голове у него был зелёный колпак с кисточкой наверху. Второй крестьянин вёл Шестилапого за уздечку, заставляя его поворачивать, когда плуг доходил до границы участка.

Это зрелище поразило Руфа Билана: ведь о существовании таких странных животных в верхнем мире даже не подозревали. Руф хотел спросить у провожатого, много ли таких укрощённых зверей у них в стране, но вспомнил недавний урок и прикусил язык.

Но тут он увидел зрелище, которое заставило его оцепенеть от ужаса и с криком припасть к земле. Сверху, шумя мощными перепончатыми крыльями, спускался огромный дракон со скользким белым брюхом, с жёлтыми глазами по чайному блюдечку величиной. На спине чудовища сидел человек в кожаном костюме, в зелёном берете.

У человека, прилетевшего на ящере, за спиной был длинный лук и колчан со стрелами, в руке он держал копьё. Длинное бледное лицо его с крючковатым носом выглядело сурово.

Руф Билан понял, что это надсмотрщик за работами, потому что при его внезапном появлении два пахаря, отдыхавшие посреди поля, вскочили и принялись за дело. Надсмотрщик строго выбранил их за леность и улетел. А в это время высоко среди облаков пронёсся второй ящер с человеком на спине.

Реньо вёл пленника по Пещере уже около двух часов, а сумерки всё не кончались. Так же вверху светились золотистые облака, так же смутно виднелась даль и темнел на холме город, к которому приближались пешеходы.

Поля кончились, местность стала каменистой и возвышенной. Слева от дороги появилось сооружение, которое оказалось длинным валом с зубчатыми колёсами и большими шкивами. Руф Билан, несмотря на плохое настроение, невольно улыбнулся, увидев, что эту сложную систему приводили в движение два Шестилапых, ходившие друг за другом. Из глубины шахты, над которой возвышался подъёмник, выползали тяжёлые бадьи с рудой и с грохотом опрокидывались над большой телегой. Руф Билан увидел, что и в телегу был впряжён Шестилапый, который смирно ожидал конца погрузки, мотая для развлечения большой круглой башкой.

СУД КОРОЛЯ

Город стоял у большого озера, заключённого в плоских берегах. Пока шли вдоль берега, Руф Билан снова убедился, как изобретательны подземные жители. В воде было установлено громадное колесо с широкими лопастями, далеко отстоявшими одна от другой. Колесо вертелось, потому что по его лопастям карабкался кверху, убегая от настигавшей его воды, Шестилапый. Зверь устал, он дышал тяжело, из раскрытой пасти клубами падала пена.

— Поделом тебе, негодник! — зло бросил в сторону чудовища Реньо. — Покалечил погонщика, теперь качай воду в Город Семи владык!

«Ага, так вот как зовут ваш город! Тут, видно, можно многое узнать, если открывать уши пошире, — злорадно подумал Билан. — Теперь я понимаю, что ваша страна разделена на семь частей, и в каждой — свой король. Невелики же у вас королевства!»

Маленькая группа остановилась у городских ворот. Крепостная стена была сложена из кирпича, побуревшего от времени. Реньо дёрнул верёвку, свешивавшуюся сверху. Узнав конвоира, часовой открыл калитку и впустил пришедших. Он с любопытством разглядывал чужестранца, но не осмелился задать вопрос.

«Значит, Реньо старше его по званию», — решил Руф Билан.

Город был невелик. На извилистых улочках стояли причудливо раскрашенные дома с высокими узкими окошками, с прочными дверями. Из окошек выглядывали любопытные женщины в зелёных чепчиках и провожали глазами чужестранца.

Улица вывела на центральную площадь, посреди которой возвышался семибашенный дворец. У Руфа Билана зарябило в глазах, когда он увидел пред собой три смежные стены, выкрашенные в голубой, синий и фиолетовый цвета изумительной чистоты.

Каждая грань здания имела своё нарядное крыльцо с массивной дверью. Билану показалось странным, что около них не было никакого движения и двери были наглухо закрыты.

«Может быть, там не живут?» — подумал Руф.

Над каждой дверью висели песочные часы необыкновенного устройства, каких Руф Билан не видел в верхнем мире. Там у богатых

людей были песочные часы, но за их ходом следил слуга, и, когда песок пересыпался из верхнего отделения в нижнее, он переворачивал их и громко объявлял время.

А здесь две стеклянные воронки, сообщающиеся между собой, укреплены вертикально на большом круглом циферблате. Вряд ли Руф Билан понял бы, как действуют эти часы, но как раз, когда он проходил мимо синей двери, последние крупинки песка пересыпались из верхней части в нижнюю, и в тот же момент трубка сама собой перевернулась, а циферблат передвинулся справа налево на одно деление так, что против стрелки, укреплённой на песочных часах, оказалась следующая цифра. А внутри часов мягко забил колокол.

«Эти подземные люди — удивительные мастера», — с уважением подумал Билан.

Они миновали синюю часть дворца, и Билан догадался: «Теперь перед нами фиолетовая стена, за ней красная, а потом оранжевая, жёлтая и зелёная, куда мы держим путь. Очевидно, Ментахо, к которому меня ведут, зелёный король, это ясно по цвету шапок его людей».

Руф Билан не ошибся в своих предположениях. Его ввели на зелёное крыльцо, и Реньо провёл пленника в зелёную приёмную мимо часового, одетого в зелёный кафтан.

В обширной приёмной не было окон, но она ярко освещалась светящимися шариками, расположенными под потолком и на самом потолке. По залу прохаживались придворные в нарядных зелёных костюмах, в шапочках, украшенных драгоценными камнями.

Увидев человека, какого никогда ещё не бывало в Подземной стране, придворные бросились к Реньо и стали засыпать его вопросами. Они имели на это право, так как были выше Реньо по званию.

Страж источника сказал:

— Господа, у меня нет времени с вами разговаривать, я должен немедленно доложить королю об ужасном происшествии. Только что разрушен Священный источник, и вода ушла обратно в землю.

Послышались возгласы:

— Но это невозможно!

— Сегодня вечером наш сектор должен укладываться спать!

— Как теперь быть?!

Реньо обратился к одному из придворных, статному старику с седыми усами и бородой:

— Господин министр Кориенте, прошу немедленно испросить для меня аудиенцию у Его Величества.

Кориенте тотчас исчез. Вскоре растворилась дверь в другом конце приёмной, и важный церемониймейстер провозгласил:

— Его Подземное Величество король Ментахо приказывает ввести пленного чужестранца в тронный зал Радужного дворца!

Руф Билан робко прошёл вслед за придворным.

Фосфорические шарики, собранные пучками, развешанные гирляндами, укреплённые в люстрах, создавали в тронном зале необычайно яркое освещение, но оно не резало глаз, и странные светильники не отбрасывали от предметов тени. Не было от них и тепла, они испускали холодный свет.

Позднее Руф Билан узнал, что в каждом жилище Подземной страны имелись светящиеся шарики, так как окна пропускали внутрь домов слишком мало света. Количество фосфорических светильников определяло богатство человека. В домах вельмож они насчитывались десятками, а лачужку бедняка тускло освещал единственный шарик величиною с вишню.

Но всё это стало известно Билану впоследствии, а теперь он обратил взор в конец зала. Там на возвышении помещался королевский трон.

В обширном кресле со множеством резных украшений сидел высокий тучный человек с большой косматой головой. Это и был король Ментахо. С его плеч свешивалась мантия, расшитая зелёными цветами. Испуганный взгляд Билана был прикован к лицу короля.

— Рассказывай всё без утайки! — сурово приказал Ментахо.

И Билан, смущаясь и запинаясь на каждом слове, рассказал о том, кем он был в Изумрудном городе, как сбежал от наказания в подземный мир и что натворил в лабиринте.

Ментахо слушал, всё больше хмурясь, а потом надолго задумался. В зале наступила тишина, даже придворные перестали шептаться: все понимали, что решается судьба человека.

— Вот мой приговор, — сказал король. — Ты подло поступил со своими согражданами, но нас не касаются дела верхнего мира. Ты разрушил Священный источник. Это — ужасное несчастье, все последствия которого сейчас даже трудно предвидеть. За такое преступление каждый житель Подземной страны подвергся бы казни. Но ты не житель Пещеры, ты совершил своё злое дело по незнанию и в смертельном страхе. Поэтому было бы несправедливо лишить тебя жизни...

Руф Билан готов был кричать от восторга. «Жить! Я буду жить!» — мелькнула у него ликующая мысль.

— Я даже дам тебе должность при дворе, чтобы ты не даром ел хлеб, — продолжал Ментахо. — Но не думай, что ты получишь придворный чин только потому, что был министром Урфина Джюса. Я назначаю тебя помощником четвёртого лакея, и жить ты будешь с дворцовой прислугой...

Изменник упал к ногам короля и принялся целовать его расшитые изумрудами туфли.

Ментахо брезгливо отодвинул ноги и проворчал:

— У этого человека лакейская душонка, и среди прислуги его настоящее место.

Руф Билан вышел из тронного зала сияющий. Главное — ему оставлена жизнь, а уж он постарается любой ценой выкарабкаться в верхи этого мирка.

СМЯТЕНИЕ

В тот день, когда иссяк источник Усыпительной воды, и в последующие дни в Городе Семи владык была большая суматоха. Королю Ментахо с семьёй и двором пришла пора уснуть, но чудесная вода ушла в глубь скалы, и, как видно, безвозвратно.

Дети Ментахо верёвочкой таскались за отцом и ныли:

— Папа, папа, мы хотим спать!

— Ну и спите! — отвечал раздражённый отец.

— Да ведь водички-то нет...

— Спите без водички!

— А мы не умеем...

И они действительно не умели, как и их родители, как придворные и слуги. Они не умели спать простым сном, потому что в течение столетий засыпали только волшебным!

Измученные бессонницей люди толпами ходили за Хранителем времени Ружеро и его помощниками и умоляли их найти какой-нибудь выход из положения. А те только отмахивались от них: у Ружеро наступило горячее время учить проснувшийся двор короля Арбусто. Тут нельзя было упускать ни одного часа, случалось, что проснувшиеся, с которыми мало занимались в течение первых дней, так и оставались совершенными идиотами...

— Вот времечко! — вздыхал Ружеро, уча короля Арбусто говорить: папа, мама, дай, горячо...

Наконец природа взяла своё: после четырёхдневной бессонницы к королю Ментахо, его семейным и придворным начал приходить обыкновенный сон.

Ни в одной комнате дворца не было кроватей: ведь раньше людей, заснувших от Усыпительной воды, складывали в специальных кладовых. Но теперь не каждый, кого одолевал сон, смог туда добраться. Люди засыпали где попало и в самых причудливых положениях. Один храпел, сидя на стуле и свесив голову, другой стоял, прислонившись к стене, третий свернулся клубком на пороге... Зелёный сектор дворца походил на очарованное сказочное царство.

Когда Ружеро доложили о происшедшем, он пришёл посмотреть на забавное зрелище.

— Наконец-то они от меня отстанут! — улыбнулся Хранитель времени. — Теперь у них всё пойдёт как у людей. Боюсь только одного...

Но чего он боялся, мудрый Ружеро не договорил: он спешил на занятия с королем Арбусто.

Два короля, Ментахо и Арбусто, встретились, когда Ментахо отоспался, а Арбусто прошёл свой курс учения. Оба властителя прожили на свете уже лет по триста, но ещё ни разу не встречались. Каждый раз, когда один засыпал, другой ещё был младенцем по уму. И вот они сошлись в тронном зале в присутствии многочисленных придворных и с любопытством разглядывали друг друга.

— Здравствуйте, Ваше Величество! — заговорил Ментахо: он был помоложе лет на тридцать.

— Здравствуйте, Ваше Величество! — прошамкал Арбусто. — Очень рад с вами познакомиться. Как-никак мы родственники, хотя и не очень близкие. Кажется, ваш дедушка был троюродным братом дядюшки моей матери?

— Нет, это моя бабушка была внучатой племянницей тётки вашего отца... А, да, впрочем, к чему разбираться в таких тонкостях, пусть роются в старых книгах летописцы...

— Правильно, — одобрил Арбусто. — Будем просто называть друг друга братьями: ведь оба мы потомки славного Бофаро. Согласен, брат Ментахо?

— Согласен, брат Арбусто!

И короли пожали друг другу руки при общем одобрении.

По случаю приятного знакомства во дворце состоялся весёлый пир, в котором приняли участие свиты обоих королей. На пиру был и Хранитель времени Ружеро. Ему в очередь со всеми подносили кубки вина, но старик отодвигал их от себя, хмуро гладя седую бороду...

ПОЛОЖЕНИЕ ОСЛОЖНЯЕТСЯ

Через несколько месяцев стало понятно, что же беспокоило мудрого Ружеро. Короли и их дворы просыпались один за другим, и один за другим оживали ранее пустынные и безмолвные секторы Радужного дворца. Чудесная вода не появлялась, и усыпить тех королей, которые отцарствовали, было невозможно.

А Руф Билан, разрушивший вековой порядок Подземной страны, служил лакеем в зелёном секторе короля Ментахо. Вёл он себя тише воды ниже травы, с удивительным усердием исполнял свои обязанности и старался не попадаться на глаза королю и его вельможам. «Беда мне будет, — думал Билан, — если они вспомнят, кто причина всей этой неурядицы...»

Однажды утром к Ласампо, министру продовольствия короля Ментахо, явился заведующий хлебопекарнями.

— Имею честь доложить вашему превосходительству, — уныло начал он, — у меня муки на складе осталось только на три недели.

Если не поступит пополнение, придётся закрывать булочные и кондитерские.

— Пополнение, пополнение! — раздражённо перебил его министр. — Откуда оно может поступить?

— Я думал, — пробормотал чиновник, — что надо бы раньше срока провести торговый день...

— Вы с ума сошли! — заорал министр. — Какой торговый день! Вы забыли, что мы уже променяли всё, что могли, а новых товаров не успели приготовить?

— Так какие же будут инструкции, ваше превосходительство?

— Убирайтесь вон!

Едва озадаченный чиновник удалился, как вошёл смотритель складов, где хранились молочные продукты.

— Ваше превосходительство, — заговорил он с растерянным видом, — у меня в амбарах масла и сыру хватит не больше чем на две недели.

— А что я могу сделать?

— Но... быть может... ваши распоряжения... — забормотал испуганный смотритель.

— Вот мои распоряжения! Кондитерам в масле отказывать! Солдатским кашеварам масла не давать! Шпионов совсем снять с довольствия!

— Но они же умрут с голоду... Кто будет следить за недовольными? А их становится всё больше и больше...

— Вот задача... Ладно, шпионов переведите на половинный паёк, лишь бы таскали ноги. Поняли?

— Понял, ваше превосходительство, — ответил смотритель, пятясь к двери.

С ним столкнулся королевский виночерпий. Министр, взглянув на его расстроенное лицо, упал в обморок.

— И вы? — тихо спросил смотритель молочных продуктов.

— Да, — тихо ответил виночерпий. — Вина осталось всего на неделю.

Они принялись приводить Ласампо в чувство. Очнувшись, тот поспешил к министрам других королей. Оказалось, что с продовольствием везде такое же катастрофическое положение. Решено было собрать Большой Совет, но этого не случалось в течение столетий, и все забыли, как это делается. Пришлось обратиться к старым летописям.

Председательствовал царствовавший в том месяце король Барбедо. Он предоставил слово Хранителю времени Ружеро.

Ружеро несколько минут стоял молча, рассматривая участников Совета, костюмы которых блистали всеми цветами радуги. Лицо его было угрюмо. Наконец он начал:

— Ваши Величества, господа министры, придворные! Всем вам известно, какое трудное положение создалось у нас в стране, когда перестала появляться Усыпительная вода. С сожалением должен доложить высокому собранию, что раскопки наших мастеров не дали никакого результата. Священный источник иссяк навсегда.

Оратор приостановился перевести дух.

Король Барбедо молвил:

— Вы говорите о вещах, которые всем известны. Лучше сообщите что-нибудь новое.

Ружеро продолжал свою речь:

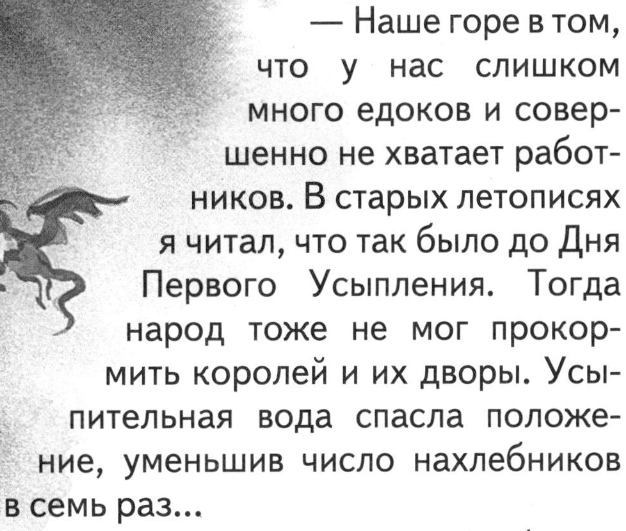

— Наше горе в том, что у нас слишком много едоков и совершенно не хватает работников. В старых летописях я читал, что так было до Дня Первого Усыпления. Тогда народ тоже не мог прокормить королей и их дворы. Усыпительная вода спасла положение, уменьшив число нахлебников в семь раз...

— Что же вы предлагаете? Убивать всех лишних? — насмешливо выкрикнул министр Кориенте.

— Зачем убивать? — спокойно возразил Хранитель времени. — Они могут сами прокормить себя. У каждого из семи королей имеется свой штат министров, советников и придворных, насчитывающий не менее пяти десятков людей. Они помогают своему повелителю править государством только в течение одного месяца из семи, а остальные шесть месяцев ведут праздный образ жизни. А почему бы не существовать одному штату, который переходил бы от короля к королю при смене государей? У нас освободилось бы сразу триста пар рабочих рук, так необходимых нам в полях и на заводах...

Дерзкое предложение Ружеро ошеломило членов Совета. Многие из них повскакали с мест, чтобы объявить о своём несогласии с ним. Поднялся страшный шум. Особенно бушевала королевская родня — все эти дядюшки, двоюродные братья, племянники. Но закон запрещал прерывать оратора, пока он не выскажется до конца.

Король Ментахо навёл порядок, и Ружеро продолжал:

— Приняв моё предложение, короли могут уволить большую часть дворцовой челяди, которая переполняет дворец и служит не столько монархам и их семьям, сколько министрам и придворным. И я думаю, что тогда не нужны будут ни стража, ни шпионы, ведь у народа исчезнут поводы к недовольству. Я подсчитал, что не менее шестисот бездельников могли бы заняться полезным трудом.

А когда все эти дармоеды слезут с народной шеи, нам вполне хватит наших ресурсов.

Ружеро окончил свою горячую убедительную речь, и в зале разразилась буря негодования. Министры и придворные орали, махали кулаками. Слышались крики:

— Нам идти за плугом, нам, потомкам благородного Бофаро? Жариться у плавильных печей? Отказаться от привилегий, унаследованных от предков, и вступить в ряды простонародья? Хранитель времени сошёл с ума!

После Ружеро выступили многие министры и советники. Все они отвергали план Хранителя времени и говорили о том, что надо заставить больше трудиться ремесленников и земледельцев. Если фабричные станут прилагать больше усилий, они произведут больше товаров, тогда можно выменять больше продовольствия у верхних жителей. А стражу и шпионов распускать нельзя, только они и держат народ в подчинении.

Выступление последнего оратора было прервано неожиданным событием. В тронный зал ворвался начальник городской стражи и задыхающимся голосом сказал:

— Ваши Величества! Сейчас прилетел гонец с донесением, что к Городу Семи владык приближаются два чужестранца!

Заседание мгновенно кончилось. С криками, толкая друг друга и ссорясь, короли и придворные бросились прочь от дворца. Впереди всех мчался здоровенный Ментахо.

Пёстрая толпа выбежала из ворот и остановилась в удивлении. К городу подходили двое: высокий темноголовый мальчик и девочка, прижимавшая к груди невиданного лохматого зверька.

ЗАТЯНУВШАЯСЯ ПРОГУЛКА

ПИСЬМО

Победив злого и коварного Урфина Джюса, Элли Смит распрощалась со своими верными друзьями Страшилой, Железным Дровосеком и Львом, и дядюшка Чарли снова перевез её через Великую пустыню на сухопутном корабле. Этот корабль поджидал своих пассажиров у Чёрного камня Гингемы и был в полной исправности.

Обратное путешествие прошло без приключений, потому что Чёрные камни могли задерживать только тех, кто направляется в Волшебную страну. Возвращаться из неё они не препятствовали.

Обнимая вернувшуюся Элли, миссис Анна сказала:

— Ну, доченька, ты больше не покинешь нас? Мы так волновались за тебя, так ждали...

А Джон Смит пробурчал, попыхивая трубкой:

— Да уж, хватит этих волшебных приключений, пора за дело приниматься. В двух милях от нас открылась школа, будешь туда ходить. Дружба с феями и разными чудесными существами приятна, но не заменит образования.

Сидя с родными за праздничным столом, одноногий моряк Чарли Блек похвалился большим изумрудом, полученным в подарок от Страшилы Мудрого.

— Как ты думаешь, Джон, стоящая вещь? — спросил он.

Джон Смит осмотрел камень со всех сторон, взвесил на ладони.

— Да, я думаю, ювелир отвалит тебе за эту штуку немало звонких монет, — сказал он.

— Теперь я исполню свою давнюю мечту, — признался моряк Чарли. — Я куплю себе шхуну и поеду к моим старым друзьям на Куру-Кусу. Клянусь ураганом, это славные ребята! Жаль только расставаться с Элли. Почему-то на кораблях не принято работать девчонкам, а то я взял бы её с собой.

У Элли уже заблестели глаза, но миссис Анна сердито обрушилась на брата:

— Молчи уж, чего ещё выдумал!

— Ладно, ладно, сестра, не шуми! Вот погощу у вас недельку и уеду.

Но немало недель прошло, прежде чем Чарли Блеку удалось вырваться от Смитов. Его не отпускала племянница, особенно подружившаяся с моряком во время опасного путешествия в Волшебную страну. И всё же настал день, когда им пришлось расстаться, и заплаканная Элли проводила дядю до остановки дилижанса.

Несколько месяцев Элли ходила в школу, изучала премудрости арифметики и грамматики, а потом наступили летние каникулы. И тут на ферму пришло письмо.

Смитам редко писали, и получение письма оказалось для них большим событием. Джон долго вертел в руках конверт, прежде чем распечатать. Взглянув на подпись, фермер радостно воскликнул:

— Это от Билла Каннинга! Долго же не подавал о себе весточки мой двоюродный братец!

— Читай же, читай скорее! — заторопила мужа миссис Анна.

В письме рассказывалось о долгих скитаниях семьи Каннингов по стране. Билл работал рудокопом, убирал фрукты в Калифорнии, строил дорогу, а теперь нанялся в пастухи на ферму в штате Айова. Элли пропускала все эти подробности мимо ушей, но конец письма заставил её насторожиться.

«Пускай твоя дочка Элли приезжает к нам на каникулы, — писал Билл Каннинг. — Она небось не забыла товарища по играм, моего долговязого Фредди. Окрестности у нас очень живописны, и ребята прекрасно проведут время...»

Элли помнила Фреда. Она узнала его лет пять назад, когда Каннинги во время одного из своих переездов гостили у них. В памяти Элли сохранился образ голубоглазого мальчишки года на два старше её. Он придумывал игры в охотников, в индейцев, в разбойников. Часто эти игры кончались для Элли разбитым носом или разорванным платьем, но она никогда не хныкала и не жаловалась старшим.

— Мама! Папа! — взмолилась девочка. — Отпустите меня к Каннингам! Фред такой добрый и весёлый!..

— Ох, дочка, не сидится тебе на месте! — молвил Джон.

Родители поворчали, но согласились отпустить девочку в Айову.

Сборы Элли были недолгими. В рюкзак — тот самый, с которым она путешествовала в Волшебную страну, — девочка уложила два-три платья, бельё, полотенце, кусок мыла, несколько книжек с картинками...

Мать приготовила провизию: хлеб, варёную курицу, пирожки, флягу с холодным сладким чаем и, конечно, несколько косточек для Тотошки. Разве мог пёсик остаться дома, когда его хозяйка отправлялась в дальнюю дорогу?

Джон Смит отвёз Элли и Тотошку на станцию дилижансов, поручил их попечению кучера и попрощался с ними. Девочка должна была вернуться через месяц.

В ГОСТЯХ

Кучер дилижанса был настолько добр к Элли, что сделал целых три мили крюка от большой дороги и подвёз девочку прямо к ферме, где работал Билл Каннинг.

Заслышав стук колёс, из хижины с соломенной крышей и двумя подслеповатыми окошками выбежал мальчуган в коротких штанах и клетчатой рубашке. Это и был Фред Каннинг. Он бросился к экипажу и помог спуститься на землю Элли, которая после трёхдневного путешествия совсем укачалась.

— О, сестрёнка! — радостно воскликнул Фредди. — Какая ты выросла большая! И, значит, ты всё-таки решилась приехать? А я-то думал, что для тебя покинуть дом — немыслимое дело.

Высокий стройный мальчуган завладел багажом Элли и направился к хижине. Элли сердечно поблагодарила кучера за заботы и пошла вслед за братом. Тотошка весело прыгал вокруг.

Фред продолжал болтать:

— Ну, Элли, ты прямо молодчина! Ведь ты, конечно, страшная домоседка и нигде не бывала, кроме ближайшей ярмарки?

Элли улыбнулась и сказала звонким голосом:

— Ошибаешься, Фредди! Я два раза была в далёкой-далёкой Волшебной стране!

— Что?!

Мальчишка остановился и опустил вещи на землю. Лицо его так побагровело, что даже не стали заметны крупные веснушки. Он сжал кулаки и задорно подступил к Элли.

— Знаешь, я выдумок не люблю, — крикнул он. — Хоть ты и девчонка, а за это поколочу! Что ещё за Волшебная страна?

— А я не выдумываю, — кротко возразила Элли. — Я привезла дяде Биллу письмо от папы, и там про это написано.

Фред долго с удивлением смотрел на неё, а потом тихо сказал:

— Тогда ты самая счастливая на свете... И ты обо всём мне расскажешь?

— Конечно, расскажу. Но ты знаешь, Фредди, для этого понадобится целая неделя. Ведь там было столько всякого... От одного Людоеда чего стоило избавиться! Он съел бы меня, если бы не Страшила и Железный Дровосек. А саблезубые тигры? А превращения Гудвина Великого и Ужасного? А Летучие Обезьяны?..

Фред шёл спотыкаясь, красный от смущения. Он считал себя великим путешественником, а тут оказалось, что по сравнению с Элли он просто ничтожество...

Билл Каннинг был в степи, но тётушка Кэт, маленькая худощавая женщина, очень ласково встретила Элли. Она согрела воду для племянницы в большом корыте — помыться с дороги. А Фред болтался за дверью и изнывал от нетерпения поскорее услышать рассказ об удивительных приключениях сестры.

Солнечные лучи тысячами блестящих кружочков ложились на землю, пройдя между листьями дуба. По веткам деревьев прыгали птицы, с ними ссорилась бойкая белка. Тотошка бегал за бабочками, а Элли и Фред сидели на траве, и девочка рассказывала о своих необычайных путешествиях в Волшебную страну.

Фред слушал затаив дыхание и только время от времени восторженно повторял, что он в жизни не слышал ничего более чудесного.

— И всё это случилось с тобой! — восклицал он. — С самой обыкновенной девчонкой... то есть, прости, девочкой. Ах, почему я не пережил ничего подобного?

— Очень просто! — разъяснила Элли. — Ведь у вас в Айове не бывает таких ураганов, как у нас в Канзасе. А впрочем, какой толк в том, что буря прилетела бы сюда? Она всё равно не смогла бы унести вашу хижину в Волшебную страну.

— Это верно, — со вздохом согласился мальчишка. — Но говори же дальше, Элли! Ты остановилась на том, как на вас набросились волшебные волки Бастинды...

— С ними расправился Железный Дровосек, — сказала девочка. — Там было сорок волков, и ровно сорок раз взмахнул Дровосек своим огромным топором. Но посмотрел бы ты, что это за топор!

Рассказ продолжался. Фред слушал, завистливо вздыхая. Он полжизни отдал бы за то, чтобы испытать хотя бы малую часть того, что досталось на долю Элли.

Несколько дней продолжалось повествование Элли, а потом Фред начал водить её по окрестностям. Ферма была расположена в прелестной местности. Здесь ничто не напоминало выжженную солнцем канзасскую степь. Это был живописный уголок с холмами, поросшими лесом, с разделяющими их весёлыми долинами, с глубокими оврагами, на дне которых журчали холодные ручьи...

Сегодня Элли и Фред ловили рыбу в озерке, притаившемся в центре лощины за ветвистыми ивами. Завтра они бродили по склонам холмов, следуя по дорожкам, протоптанным овцами, а потом отправлялись исследовать путь какого-нибудь безвестного ручейка. Дни протекали светло и радостно.

ЭКСКУРСИЯ В ПЕЩЕРУ

Элли стала учиться ездить верхом. Её уговорил Фред.

— Слушай, сестра, — сказал мальчик, хмуря выцветшие на солнце брови, — это же будет просто позор, если ты, пожив у нас, не вернёшься умелой наездницей! Это ты-то, такая бывалая путешественница!

Уговорить Элли не стоило труда. Билл Каннинг предоставил племяннице в полное распоряжение смирную лошадку. У Фреда был хороший скакун, потому что он ездил превосходно и не раз подменял отца на работе.

Первые дни приходилось трудно. По вечерам Элли не могла сидеть — у неё ныла спина, болели все косточки, она плохо спала.

Но терпение всё побороло, и пришёл день, когда верховая езда обратилась для Элли из пытки в удовольствие. Теперь прогулки ребят стали гораздо продолжительнее — иногда они уезжали миль за десять от дома.

Однажды Фред спросил Элли:

— Ты слыхала про Мамонтову пещеру?

— Конечно, — ответила Элли. — Нам про неё говорили в школе.

— И это самая большая пещера на свете.

— Ты не говорил бы этого, если бы видел Страну Подземных рудокопов, — рассмеялась Элли. — Вот это действительно пещера!

Фред приуныл, как всегда, когда Элли, будто невзначай, козыряла своими воспоминаниями. Конечно, и с ним бывали приключения. Однажды во время снежной метели в Кордильерах он заблудился и чуть не замёрз. В другой раз за ним гнались степные волки, и только резвость лошади спасла его от гибели. А то ещё он свалился с дерева и сломал ногу. Что и говорить — это были выигрышные дела, и они высоко ставили его над другими мальчишками, но чего всё это стоило в сравнении с тем, что пережила Элли!..

Фредди не без умысла завёл разговор о пещерах. Ему захотелось показать, что и Айова может похвалиться кое-чем в этом роде. Милях в двадцати от их фермы, в глубоком ущелье, находился вход в малоизвестную пещеру, куда ещё не добрались туристы, где они не отбивали на память осколки сталактитов и не писали свои имена свечной копотью на стенах.

— Побываем там, Элли, — предложил Фред. — Это далеко, и раньше я тебя туда не звал, но теперь ты — лихая наездница, и тебе ничего не стоит проделать такой путь.

Элли согласилась.

— Мы отпросимся на целый день, — продолжал мальчик. — Возьмём с собой всё, что нужно для основательной прогулки, и займёмся исследованиями.

На следующий день выехали рано утром. Элли везла с собой туго набитую продуктами сумку — тётушка Кэт не поскупилась и наложила туда столь-

ко всего, что, пожалуй, хватило бы на три дня. Перед Элли примостился Тотошка. К седлу Фреда был приторочен чемодан.

— Зачем он нам? — спросила девочка.

— А в нём лодка. Парусиновая, складная, — похвалился Фред. — Мне её сделал папа. Говорят, в одном из гротов есть под-

земное озеро. Представляешь, как там интересно покататься при свете факелов?

Ребята ехали не спеша, и солнце поднялось довольно высоко, когда они добрались до входа в пещеру. День был ясный и тёплый, но из тёмного отверстия несло сыростью и холодом. Элли вздрогнула и плотнее набросила на плечи тёплый платок.

— Ты знаешь, Фредди, — сказала она, — сейчас я вспомнила, как мы с дядюшкой Чарли, Львом, Тотошкой и вороной Кагги-Карр вот так же стояли у подземного хода, указанного нам королевой полевых мышей...

Мальчишка возмутился.

— Послушай, Элли, — сердито молвил он, — с твоей стороны это прямо свинство устраивать такие штучки!

— Какие? — невинно спросила Элли, хотя глаза её смеялись.

— А такие! «Когда мы со Страшилой... Когда Людоед... Когда мышиная королева...» Разве я виноват, что мне не довелось там побывать?

Фред чуть не плакал от злости.

— Прости, Фредди, я больше не буду, — пообещала Элли, и мальчуган понемногу успокоился.

Срубив несколько смолистых сосенок, Фред наготовил связку факелов. Спички у него были в нагрудном кармашке ковбойки, в жестяной коробке. Мальчик привязал к камню конец тонкой бечёвки, смотанной в объёмистый клубок.

— Я всё предусмотрел, — сказал Фред. — В таких пещерах легко заблудиться.

— Только не с собакой, — возразила Элли. — Тотошка всегда сумеет вывести нас по следам. Правда, Тотошенька?

Пёсик утвердительно залаял.

Ребята вошли в пещеру. Фред шёл первым, он нёс за плечами чемодан с лодкой, к которому были пришиты лямки. В руках он тащил факелы. За ним следовала Элли. В одной руке она несла провизию, в другой — клубок ниток. Тотошка замыкал шествие: пещера ему не нравилась. Он подозрительно нюхал воздух и ворчал.

ОБВАЛ

Вечером дети не вернулись. В хижине Каннингов водворилось беспокойство. Миссис Кэт строила различные страшные предположения, муж её успокаивал:

— Они не могли сбиться с пути: кони дорогу к ферме знают. Про хищных зверей в наших краях давно уже не слышно. Просто ребята запоздали и ночуют в холмах. Провианта у них достаточно, спички у Фреда есть.

— Можно заблудиться в пещере, — говорила миссис Кэт. — Я слыхала, что там множество запутанных ходов.

— Я дал мальчишке огромный клубок ниток, — сказал Билл Каннинг. — И строго-настрого приказал ему идти только до тех пор, пока хватит бечёвки.

Ночь прошла тревожно, а утром беспокойство ещё возросло: на ферму прибежал скакун Фреда с оборванной уздечкой. Стало ясно, что произошло несчастье. Все, кто был свободен от работы и мог сидеть на лошади, немедленно отправились к пещере во главе с Биллом Каннингом. Передовые из спасательного отряда проскакали двадцать миль за полтора часа, чуть не загнав лошадей.

Невдалеке от пещеры стояла лошадка Элли, привязанная к дереву. Ребят нигде не было видно. Бечёвка, обмотанная концом вокруг камня, вела в пещеру. В толпе спасателей строились предположения:

— Заблудились в подземелье? А может, их газом отравило? Не расшибся ли кто из них?

Люди бросились в пещеру с горящими свечами и лампами в руках (они забрали на ранчо месячный запас горючего). Впереди всех спешил Билл.

Вначале проход был не очень высоким и широким, но постепенно расширился и привёл в большой продолговатый грот, с потолка которого, блестя при свете ламп, свешивались сталактиты.

Миновав этот грот, люди увидели три выхода из него. Бечёвка Фреда вела в средний. Углубились туда, идя цепочкой, потому что проход был узок и невысок. Иногда рослым мужчинам приходилось сгибаться чуть ли не вдвое. И вдруг Билл, по-прежнему продвигавшийся впереди, глухо вскрикнул:

— Обвал!

Дорогу преградила глухая стена мелких и крупных камней, придавленных сверху миллионопудовой тяжестью горы. И в эту толщу уходила бечёвка — последний след проходивших здесь детей...

Билл Каннинг отчаянно зарыдал:

— Фредди, сыночек мой!.. Элли, крошка Элли!.. Какой ужасный конец!

Товарищи ласково утешали Каннинга:

— Полно, Билл, старина, успокойся! Ещё не всё пропало. Может, они там, на той стороне...

Билл вскочил:

— Да, да! Надо раскапывать! Немедленно... Сейчас!

А к пещере подъезжали всё новые и новые добровольцы, и в ущелье раскинулся большой лагерь. Загорелись костры, хозяйки готовили обед для спасателей. Была среди них и тётушка Кэт, сразу постаревшая на целые годы.

Мужчины бросились по всей округе собирать землеройный инструмент: лопаты, ломы, кирки. Другие рубили деревья в окрестном лесу и готовили стойки — крепить ход.

Работа закипела. Проход был узок, и там могли работать всего трое, но зато люди сменяли друг друга через четверть часа, и каждый вгрызался в осыпь с новой силой, а длинная вереница людей передавала вынутые камни из рук в руки.

Другие спасатели тщательно обследовали правый и левый выходы из большого грота. Как знать, может быть, какой-либо из них ведёт в глубь земли, мимо обвала, и там где-нибудь уцелевшие от катастрофы ребята ждут помощи. К сожалению, один из коридоров повернул обратно и замкнулся кольцом, а другой завершился тупиком.

По просьбе Билла о несчастье известили Джона Смита: ему была послана телеграмма. Отец и мать Элли явились к месту несчастья на третий день. Они были в отчаянии. Фермер Джон тут же включился в работу, но у спасателей уже появились первые сомнения. В узком и низком проходе копать было очень трудно, и за восемь дней штольня продвинулась всего на полтораста футов. А простукивание и прощупывание при помощи длинных буров показывало, что завал тянется ещё очень далеко, быть может, на целые сотни футов. Больше того, в потолке большого грота слышались зловещие потрескивания. Мог произойти новый обвал и похоронить многих.

Джон Смит и Билл Каннинг первыми предложили кончить раскопки.

— Как видно, наших детей не спасти, — мрачно сказал Билл. — Если они не раздавлены, то уж, наверное, погибли от голода...

На двенадцатый день спасательные работы были прекращены.

ПОСЛЕ ОБВАЛА

Фред, Элли и Тотошка не погибли. Обвал произошёл, когда они далеко миновали опасное место. Но страшное сотрясение почвы бросило их на пол пещеры, с потолка посыпались камешки. Потом до них донёсся оглушительный гул, и порыв ветра загасил факелы. Тотошка отчаянно завыл, а потрясённые Элли и Фред не могли вымолвить ни слова. Потом девочка заговорила:

— Недаром Тотошка так упирался, не хотел сюда идти. Тотошенька, милый, ты умнее нас!

Тотошка дрожал от страха, но не лучше чувствовали себя и дети. Фред зажёг факел.

— Посмотрим, что случилось...

Они пошли назад, осторожно осматриваясь, вглядываясь в потолок и стены. К счастью, эта часть пещеры была, как видно, исключительно прочна: лишь кое-где появились трещинки. Но через три сотни шагов исследователи должны были остановиться: перед ними беспорядочной грудой лежал каменный завал.

— Наша могила была бы крепка, если бы мы не успели отсюда уйти, — испуганно прошептал Фред, и, хотя в пещере было свежо, на его лице выступил пот.

— Что же теперь делать, Фредди? — спросила Элли, бессильно опустившись на землю.

— Что?.. Я не знаю... Попробуем искать другой выход, — неуверенно ответил мальчик.

Но в голове его пронеслась страшная мысль: «Едва ли есть такой выход...»

Элли поднялась с холодного сырого пола пещеры.

— Пойдём. Только я очень голодна. Ведь мы ничего не ели с утра.

— Это ты хорошо придумала, сестрёнка, — с напускным оживлением воскликнул Фред. — Действительно, надо подкрепить силы перед трудной дорогой.

Они поели, накормили Тотошку, напились холодного чая из фляжки.

— Мы не возьмём с собой самое тяжёлое, — сказал Фред.

Он положил на чемодан связку факелов, дав Элли нести всего три-четыре. Посоветовавшись, решили оставить Тотошку возле продуктов: в пещере могли водиться крысы, и гибель провизии была бы непоправимой бедой. Пёсик протестующе ворчал, но Фред крепко привязал его ремнём к чемодану.

Дети двинулись на розыски. Фред разматывал клубок, стараясь не порвать нитку. Как знать, быть может, в этой тонкой зелёной нитке, спрядённой руками тётушки Кэт, их единственное спасение?

— Из большого грота было три коридора, — сказал Фред, — и мы шли по среднему. Хорошо было бы, если бы нам удалось попасть в один из боковых. Тогда мы выберемся наружу...

Но это было возможно лишь в том случае, если боковые проходы соединялись со средним поперечными коридорами. А таких коридоров не оказалось. Волей-неволей пришлось идти вперёд.

Проход, по которому продвигались ребята, снова расширился и обратился в большую круглую пещеру. В её стенах зияло несколько отверстий. Какое из них могло вести наружу?

Не выпуская из рук клубка, Фред решительно подошёл к одному из отверстий и вынул из кармана кусок мела.

— Я буду отмечать каждый проход, где мы побываем, — сказал мальчик и нарисовал на стене крест.

Исследование началось. Результаты его были печальны. Несколько часов бродили ребята по запутанной сети коридоров, но без всякой пользы. Одни проходы заканчивались тупиками, другие суживались до такой степени, что сквозь них нельзя было даже проползти, третьи спускались куда-то вглубь...

Если бы не бечёвка и не меловые отметки, щедро оставляемые на стенах, дети давно заблудились бы в этом мрачном лабиринте. Возвращаясь по своему следу, они аккуратно сматывали нитку на клубок.

И вот, запыхавшиеся, усталые, они снова шли по коридору, где остались их вещи. И вдруг до слуха детей донёсся отчаянный лай.

— С Тотошкой беда! — вскричала Элли.

Ребята стремглав бросились вперёд. Им представилось страшное зрелище. Тотошка сражался с десятком крыс, защищая провизию. Три или четыре крысы валялись на земле, показывая, какой отчаянной была битва.

Завидев детей с факелом, крысы разбежались.

— Как хорошо, что мы оставили собаку сторожить вещи, — сказал Фред.

— Да... А то — голодная смерть... — содрогнулась Элли.

Она присела на чемодан, и глаза её наполнились слезами.

— Эх, сестричка, плачешь? — воскликнул Фред и нежно прижал её к себе. — Ты, побывавшая в таких переделках! Не унывай, как-нибудь выберемся... У нас остался главный выход из круглой пещеры, мы его ещё не проверили, а он-то, наверно, самый лучший...

Но девочка уже не могла ходить, ноги ей не служили.

— Будем устраиваться на ночлег, — сказал Фред.

Он открыл чемодан, достал из него лодочные части, скрепил их гайками и болтами. Получилась длинная парусиновая байдарка.

— Заметь, непотопляемая! — похвалился Фред, похлопав по воздушным ящикам в носу и корме лодки. — Это твоя постель. Провизию и собаку возьмёшь к себе. Тотошка будет греть и караулить продукты.

— А ты?

— Моя куртка очень плотная и тёплая.

Долго ли спали ребята, они не знали. Их разбудил лай Тотошки: крысы снова подбирались к пище.

Для завтрака Фред сильно уменьшил порции, а пить совсем не стал, только Элли налил одну крышечку от фляжки да Тотошке половинку.

Каждый факел он расщепил надвое складным ножом и крепко увязал пачку.

— Знаешь, сестричка, — сказал Фред виноватым голосом, — я уверен, что нас откопают, и мы должны дотянуть до того времени.

Этот день ребята провели у завала. Они чутко прислушивались, не донесутся ли до них какие-нибудь звуки с другой стороны, но увы! — всё было мертво и немо вокруг...

Несколько раз они сами принимались кричать и стучать. Никакого отклика.

Прошло много часов, а потом Фред решительно сказал:

— Нет, Элли! Сидеть здесь и ждать помощи — значит погибнуть. Как видно, обвал слишком велик, мы даже не слышим ударов кирки и лома, а я уверен, что папа там со своими товарищами... — Голос мальчика дрогнул, но он мужественно продолжал: — Пусть у нас хоть один шанс из сотни найти выход, мы не должны его упускать. Идём!

— Идём, — согласилась Элли. — А что мы сделаем с чемоданом? Опять оставим здесь?

Фред долго думал.

— Придётся взять с собой, — наконец решил он. — Ноша тяжела, но ведь это наши постели. Без них мы не проспали бы в пещере и часа. И кто знает, может быть, мы сегодня заберёмся так далеко, что просто не сможем вернуться сюда. Я понесу чемодан и провизию, а нитку будешь разматывать ты.

— Зачем нам нитка, когда с нами Тотошка?

— Папа велел ходить с бечёвкой, значит, всё! — сказал Фред.

И снова пленники подземелья пустились в путь, на этот раз по главному выходу из круглой пещеры. У Фреда была слабая надежда, что где-нибудь этот ход повернёт и выведет их на поверхность земли, хотя и не в том месте, где они вошли. Но они оставляли позади себя милю за милей, а проход и не думал загибаться. То он расширялся, то суживался (дети всякий раз с ужасом думали, что им не проползти с громоздким чемоданом), то вёл через большие и малые гроты...

И вот пришёл жуткий момент, когда нитка кончилась. Это была тонкая прочная нитка, память о доме, и пока скитальцы держали её в руках, они ещё чувствовали какую-то связь с внешним миром. И вот эта последняя связь оборвалась!

Что делать?

— Глупо возвращаться назад, — сказал Фред. — Что толку ходить по одному месту. Будем надеяться на мел.

— А у тебя ещё большой кусок? — спросила девочка.

— Я вчера слишком щедро рисовал знаки, — признался Фред. — Но теперь стану экономнее. Буду ставить такие, чтобы только разглядеть.

Путешествие продолжалось. Проход всё понижался, вёл вглубь. Стало гораздо теплее. Элли уже не куталась так зябко в платок, а Фред расстегнул куртку. Только Тотошка в своей шубе чувствовал себя по-прежнему. Сырость в воздухе увеличилась, по стенам коридора текли струйки воды, а на полу журчал ручеёк.

Теперь ребятам уже не угрожала гибель от жажды, и они вдоволь напились. Вода походила на минеральную, в ней клубились пузырьки газа.

ЛОДКА ПРИГОДИЛАСЬ

Ещё часа три хода — всё вниз и вниз, — и путники шагали в воде уже по щиколотку. Ручей своим весёлым журчанием развлекал их и отгонял мрачные мысли. Для Тотошки вода была слишком глубока, и Элли взяла его на руки. Фред отобрал у неё сумку с провизией.

А вода становилась всё глубже: вот уже она достигла колен, стала подбираться к поясу...

— Стоп! — сказал Фред, и Элли остановилась. — Я страшно глуп. Несу чемодан, а чемодан должен нести нас всех.

— Ты хочешь собрать лодку? — обрадовалась Элли, которая очень устала за долгий путь, хотя и не признавалась в этом.

— Конечно! — ответил мальчишка. — Держи факел.

Собирать в таких условиях лодку было страшно трудно и даже опасно. Стоило Фреду уронить в воду какой-нибудь болтик или гайку, и всё пропало бы. Но ребята заметили выступ на стене, посадили туда Тотошку, положили провизию, и Элли помогала брату. Сборка закончилась благополучно.

Фред примостился на кормовом ящике с веслом, Элли забралась в середину с Тотошкой и вещами. Её задачей было освещать дорогу, насколько это позволял дымный свет факела.

Теперь путешествие стало более удобным. Не приходилось брести по воде, ощупывая ногой скользкое дно и поминутно рискуя упасть. Лодка быстро несла ребят, но куда... Фред и Элли старались об этом не думать.

Ручей заполнил весь коридор, теперь он больше походил на маленькую речку, в которую из боковых проходов вливались протоки-ручейки.

Стены коридора внезапно раздвинулись, и впереди показалась пещера. Её размеры трудно было определить во мраке, который не мог разогнать свет факела, но она казалась очень большой.

— Мы не поедем дальше, — сказал Фред. — Надо здесь заночевать.

Они поплыли по краю подземного озера, наполнявшего грот, нашли плоский берег, вытащили лодку и после скромного ужина, вдоволь запитого водой, улеглись на ночлег.

Спать было тепло, но Фред проснулся среди ночи и долго раздумывал над тем положением, в какое поставила их судьба.

Что делать? У них было только два выхода. Вернуться назад, к завалу, и ждать, когда их откопают, или плыть дальше по подземной реке. Вернуться — это признать своё поражение, уже не считая того, что сидеть сложа руки ужасно. Идти вперёд — это борьба. Лучше бороться!

С такими мыслями Фред заснул крепким сном.

Разбудил детей не рассвет, которого не видела тёмная пещера за миллионы лет существования, не холод, потому что там было тепло. Их разбудил жалобным повизгиванием голодный Тотошка.

Фред зажёг факел, недовольно покачав головой: спичек оставалось не так-то уж много. Ещё новая опасность, как будто и без того их было мало...

Продовольственные порции ещё сократились, и после завтрака ребята снова тронулись в путь. В этот день, по расчётам Фреда, они сделали не менее пятидесяти миль. Из подземного озера река вытекала шире и глубже первой. Она быстро несла свои бурные воды.

В середине дня был очень опасный момент, когда казалось, что путникам грозит гибель или бесконечно медленное возвращение назад, к обвалу, что опять-таки означало смерть.

Уже несколько раз свод пещеры над речкой так понижался, что Фреду и Элли приходилось сильно нагибаться. Но такие места оставались позади довольно быстро. И вот вдруг потолок снова начал опускаться и опустился так низко, что между водой и каменным сводом осталась только узкая щель. Поток бесновался в стремнине, зажатый камнем со всех сторон. Бледная Элли смотрела на брата.

— Что теперь?

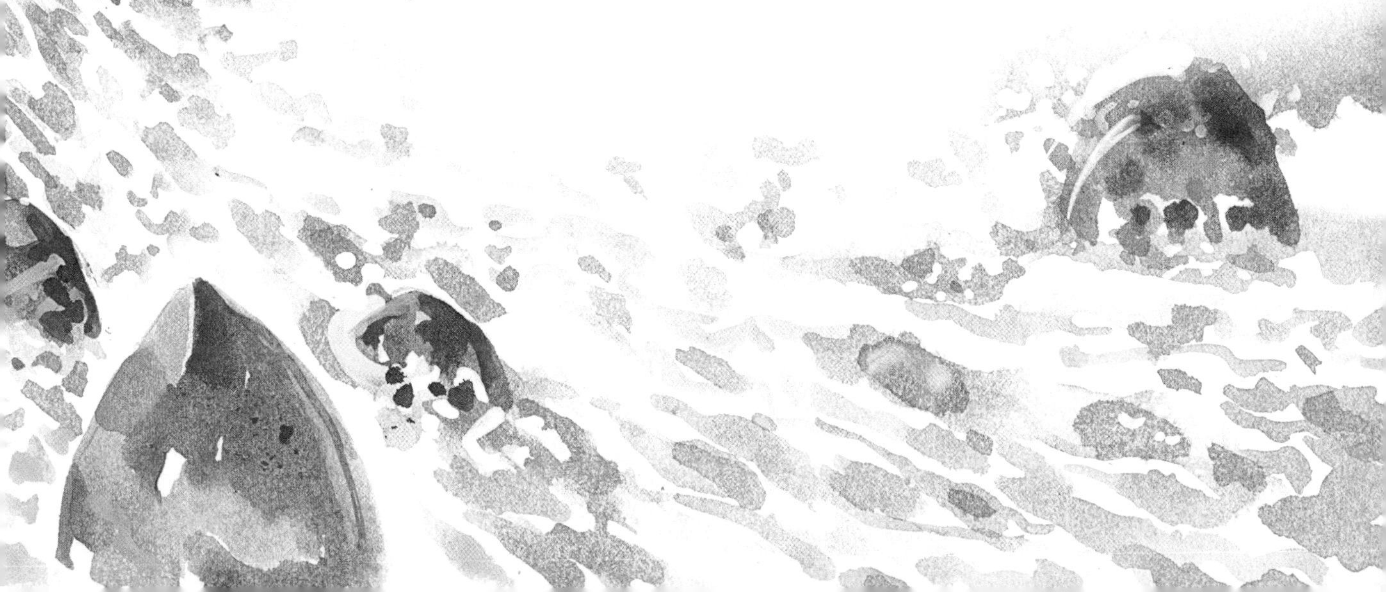

А тот удерживал лодку, ухватившись за выступ скалы, и мысли лихорадочно неслись в его голове.

«Прорываться, обязательно прорываться! — решил он. — Препятствие не может тянуться долго!..»

Больше знаками, чем словами, он предложил Элли с Тотошкой и вещами забраться в носовой ящик лодки, закрывавшийся очень плотно. Девочка жестом спросила: «А ты?»

Фред показал на кормовой ящик.

Элли с собакой исчезла в своём убежище. Но кормовой ящик байдарки был короток для Фреда, и мальчишка это знал. Он закутал голову курткой, захватив побольше воздуха, и улёгся на дне лодки, стараясь не выдаваться вверх. Факел погас. Тьма охватила лодку, а неодолимая сила течения повлекла её через стремнину, ударяя то о каменистое дно, то о свод пещеры. И тут-то сказалась превосходная работа Билла Каннинга: лодка выдержала!

И когда Фред уже совсем задохнулся и готов был открыть рот, он вдруг почувствовал, что лодка плывёт спокойно, а к нему под куртку проникает воздух. И каким же живительным показался ему этот сырой затхлый воздух подземелья!

— Ну, теперь ход назад отрезан для нас навсегда, — сказал себе Фред.

И хотя он знал, что этот ход не сулил им ничего хорошего, сердце ему как будто кто-то сжал холодной сильной рукой.

Элли выбралась из своего уголка, гладя напуганного Тотошку и уверяя, что сама она ничуть не боялась. Факел загорелся, и вид мокрого с ног до головы Фреда, и лодка, полная воды, показали девочке, что дело обошлось совсем не так, как говорил брат. Элли только покачала головой. Мальчишка в ответ погрозил кулаком и принялся вычерпывать воду.

Плавание продолжалось.

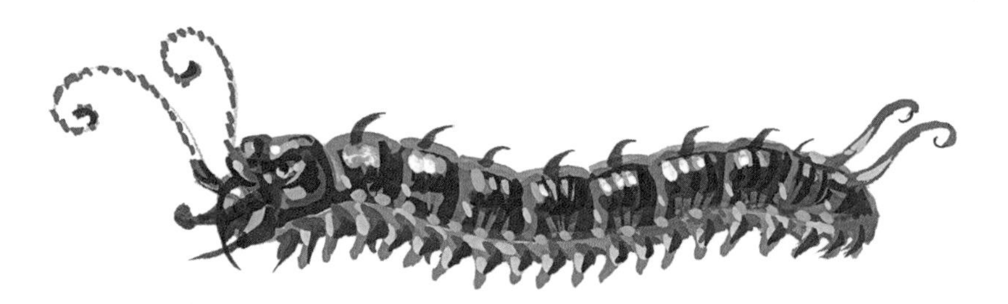

БРИЛЛИАНТОВАЯ ПЕЩЕРА

Прошло ещё три дня пути. Подземное царство, куда попали Фред и Элли, казалось бесконечным. Гроты и коридоры, коридоры и гроты, реки и подземные озёра сменяли друг друга нескончаемой вереницей, и путники давно потеряли им счёт. Хорошо было уж то, что ни разу больше не попадалась им стремнина, подобная той, какую они преодолели. Окажись впереди ещё такая ловушка, да подлиннее, — они задохнулись бы в ней.

Встречались пороги и небольшие водопады, но лодка пролетала через них, как пробка, а если в середину и заливалась вода, Элли вычерпывала её кружкой.

Плохо было то, что запас провизии сильно таял. Сколько раз за время пути ребята благословляли мудрую предусмотрительность миссис Кэт, которая придерживалась народной пословицы: «Едешь на день, хлеба бери на неделю». Спичек тоже осталось очень мало. Фред пошёл на крайность: он расколол оставшиеся факелы ещё на несколько частей каждый, и теперь у ребят были лучинки, испускавшие слабый трепетный свет. Но этим светом приходилось обходиться. На ночь огонь уже не гасили, чтобы утром не тратить спичку. Элли и Фред сидели поочерёдно, зажигая одну лучинку от другой, когда та догорала до конца. К счастью, запас лучинок был велик.

В одну из ночей Элли задремала и проснулась в темноте: она не заметила, как догорела и погасла лучинка. Она в ужасе разбудила брата.

— Фредди, что я наделала!

— Ах, Элли, Элли, — только и сказал мальчик, но сказал так, что Элли залилась горючими слезами.

— Ладно, давай теперь спать, — смягчившись, молвил Фред. — Всё равно спичку тратить, когда встанем.

И они проспали очень долго.

Это было на шестые или седьмые сутки их пребывания в подземном мире: ребята не знали точно, потому что не имели часов, и для них ночь наступала, когда они уставали.

Они только что оставили позади длинный широкий коридор и плыли по очередному озеру. Что-то поразило их в облике стен. Здесь скалы блестели как-то по-особенному. Ребят уже не удивлял блеск сталактитов: их колонны, то прямые, то с причудливыми натёками, не раз встречались во время долгого путешествия. В этом гроте их удивило другое.

Казалось, не каменные стены тянулись по бокам озера, а расстилалось тёмное небо со сверкающими на нём звёздами. Лучи этих звёзд блестели и переливались красным, зелёным, синим цветом. Элли робко спросила:

— Что это такое, Фредди?

— Я и сам не знаю, — также тихо ответил мальчик. — Может, драгоценные камни?

Стена здесь круто поднималась из воды, и они смогли подплыть к ней вплотную. Крупные блёстки, вкраплённые в камень, ярко сверкали при свете лучины.

Более опытная Элли, побывавшая в великолепном дворце Гудвина, сразу догадалась:

— Фредди, это бриллианты!

— Выдумываешь? Опять со своими штучками!

— Да нет же, уверяю тебя!

— Лучше бы это были куски сыра, — мрачно отозвался мальчик.

— Но ты понимаешь, Фредди, они очень дорогие... и красивые, — добавила девочка.

— Ну и пусть красивые. Нам-то от них какой толк?

— Как ты не понимаешь, Фред? Будь добр, выковыряй несколько штук. Если мы выберемся отсюда... Когда выберемся, — поправилась Элли, — ювелир сделает мне красивую брошку и браслет.

Фред нехотя принялся вынимать алмазы. С несколькими обошлось благополучно, а потом он чуть не уронил ножик в воду.

Это так его обозлило, что он хотел швырнуть в озеро камешки, которые удалось достать. Мальчик небрежно перебросил добычу Элли и начал грести.

Когда бриллиантовая пещера осталась позади, девочка задумчиво сказала:

— Знаешь, Фредди, тут начинаются чудеса.

— Ну и что? — неприветливо бросил Фред. — Тебе теперь везде будут мерещиться чудеса.

— А всё-таки я думаю, эта дорога приведёт нас в Волшебную страну.

Фред промолчал, но по его лицу сестра увидела, что такой конец приключения был бы верхом его желаний.

РЫБНАЯ ЛОВЛЯ

На девятый день путешествия провизия кончилась. Элли ослабела от голода, с Тотошкой тоже было плохо, только Фред ещё держался. Плывя по длинному узкому озеру вдоль отвесной стены, Фред увидел на ней что-то вроде огромных текучих капель.

— Это слизняки! — воскликнул мальчик. — Вот и еда!

Но он хорошо помнил слова отца, которые тот не раз повторял во время поездок по прериям: «Никогда не ешь сразу много незнакомой пищи, малыш! Кто знает, может, она вредна!»

И теперь Фред решил в первую очередь попробовать этих улиток сам. Он с трудом проглотил неприятный, едкий на вкус кусочек. «Нет, это не для Элли», — решил он и выплюнул недожёванную улитку.

Он хорошо сделал, потому что вскоре у него в желудке началось жжение, голова закружилась, и он потерял сознание.

Перепуганная Элли бросилась на помощь брату. Она воткнула горящую лучину в щёлку носового ящика и захлопотала: брызгала Фреду в лицо водой, давала пить ему из фляжки.

Через несколько минут мальчик очнулся, но в этот момент лучина зашипела и погасла.

— Ещё одна спичка, — с тяжёлым вздохом прошептал Фред. — А впрочем, и запас лучины подходит к концу.

Итак, улиток нельзя было есть, и призрак голода снова встал перед путешественниками. Зажгли свет и молчаливо поплыли дальше.

И вдруг глаза Фреда загорелись радостью. Он увидел... Да, он увидел, как со стены сорвалась улитка, упала в воду, и тотчас из воды бесшумно высунулась большая рыбья голова и сомкнула челюсти. Маленький водоворот, и всё исчезло.

— Как я был глуп! — закричал Фред. — Ох, сколько мне ещё расти от мальчишки до настоящего человека! Все наши несчастья происходят от моей глупости! Почему я не подумал о рыбе?!

— Но, Фредди, как же ты её поймаешь?

— Ха-ха-ха, сестрёнка, это уж моя забота!

Фред вытащил из-за подкладки своей шапки рыболовную леску с большим крючком. Он снял с сырой стены улитку, отрезал кусок, насадил его и опустил леску за борт.

Клёва долго ждать не пришлось. Резкий рывок, подсечка, и вот на дне лодки забилась короткая толстая рыба с серой чешуёй и бледно-розовыми плавниками. На голове её вместо глаз виднелись маленькие круглые наросты: рыба была слепа.

— Быть может, и эта рыба ядовита? — задумчиво спросил Фред.

— Милый Фредди, теперь пробовать буду я! — взмолилась Элли.

— Нет, — решительно возразил Фред, — мы дадим попробовать Тотошке. Но немного.

Мальчик стукнул бившуюся рыбу веслом по голове, очистил от чешуи, дал маленький кусочек собаке. Тотошка жадно съел, облизнулся и всем своим видом показывал, что хочет ещё.

— Нет, дружок, — ласково сказал Фред, — немного потерпи!

Прошёл час. Тотошка чувствовал себя хорошо и умильно смотрел на рыб, которых мальчик успел выловить за это время.

— Жаль, что нам нельзя поджарить эту рыбу, — с сожалением промолвила Элли.

— Ничего, будем есть сырьём. Но тоже по чуточке, иначе нам станет плохо.

Дети ели понемногу, но часто и через несколько часов почувствовали себя сытыми. И хотя им уже не грозила смерть от голода, они от всей души пожелали, чтобы их невольное путешествие поскорее окончилось.

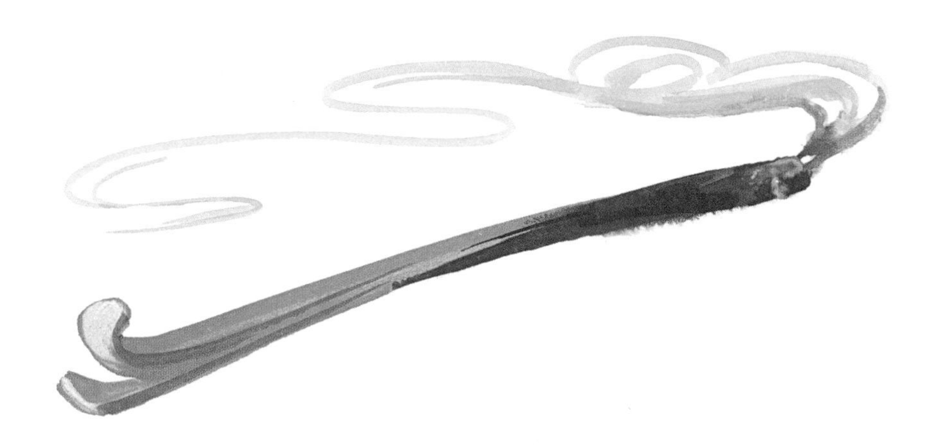

ТАИНСТВЕННЫЙ ГОРОД

Пучок лучинок убывал с ужасающей быстротой, и наконец наступил момент, когда трепетный огонёк на конце последней из них, помигав, угас. Ещё несколько секунд виднелся красный уголёк, но исчез и он. Тьма...

Да, Фреду и Элли показалось, что их окружила непроницаемая вечная тьма, потому что ни один луч света не мог пробиться через толщу земли, отделявшую их от неба, от солнца. Но что это за чудо? По мере того как их глаза привыкали к темноте, дети начинали что-то различать в ней...

— Фредди, братишка, я вижу, вижу! — восторженно вскрикнула Элли. — Ой, вижу свои пальцы... Вижу Тотошку! Тебя!..

— И я тоже различаю твой красный свитер! Вижу, как ты машешь руками! Ура!

Это могло показаться непостижимым, невероятным, но путешественники действительно видели. Они плыли в это время по широкой спокойной реке, и перед ними открывался мыс, у которого река поворачивала вправо. Береговые скалы, нависший свод пещеры — всё это смутно рисовалось в каком-то слабом, но явственном золотисто-розовом свете. Конечно, им теперь не нужна была ни лучина, ни даже самый яркий факел, потому что никакой факел не мог бы так осветить окружающую картину, как этот неизвестно откуда льющийся, спокойный, рассеянный свет. И если они его раньше не замечали, то лишь потому, что их глаза слепил огонь лучины...

Элли убеждённо сказала:

— Фредди, а ведь наверняка где-то здесь близко Страна Подземных рудокопов!

И девочка рассмеялась первый раз после катастрофы.

— Какое счастье! Я опять увижу милого Страшилу, Дровосека, Льва!..

Фред рассудительно возразил:

— А ты не ошибаешься? Вдруг мы попадём в какое-нибудь другое подземное царство?

— Ну, сколько их тут может быть? Нет, ведь это в Стране рудокопов я видела такой золотистый свет, только он был гораздо ярче и позволял различать далёкие предметы.

— Но если ты права, то всё! — торжествующе воскликнул Фред.

— Что всё?

— Конец твоему хвастовству! — весело заявил мальчишка. — Тогда и я своими глазами увижу все чудеса Волшебной страны.

— Ага, ага, а вот и не всё. Я-то их увижу в третий раз, а ты только в первый!

Через два часа река вынесла лодку в большой грот, дальний край которого нельзя было рассмотреть даже при золотистом свете. Грот был очень велик, но всё же никак не шёл в сравнение со Страной Подземных рудокопов. Здесь не было холмов, поросших лесом, не было города...

Впрочем, город-то как раз и был!

Вдали от берега Элли и Фред рассмотрели что-то вроде нагромождения построек, возведённых человеческой рукой.

— Город, город! — закричала Элли. — Милый Фредди, пойдём посмотрим!

Теперь, когда у ребят появилась уверенность, что они не погибнут, что их путешествие подходит к благополучному концу, у них появились такие желания, которые никак не могли возникнуть несколько дней назад.

Фред сказал, что вряд ли благоразумно оставлять лодку на берегу.

— А Тотошка? — воскликнула девочка. — Это тебе не охрана?

Фред позволил себя уговорить, ему и самому хотелось поглядеть на таинственный город. Ребята вытащили байдарку на берег, наполнили камнями и привязали к ней Тотошку.

— Если что, подашь голос! — приказала Элли пёсику.

До предполагаемого города было около полумили. Дорога шла по равнине, заваленной мелкими и крупными камнями, ребята то и дело спотыкались.

По мере приближения всё яснее становилось, что они подходят к творению рук человеческих.

Масса строения возвышалась, по-видимому, на холме, так как дома поднимались несколькими ярусами. Всё вместе взятое напоминало какое-то исполинское гнездо из отдельных ячеек. Дома имели круглую форму и завершались наверху круглыми сводами. Окон в них не было, но в стенах виднелись небольшие круглые отверстия, возможно, для прохода воздуха. Некоторые здания полуобвалились, и ясно было, что город давным-давно покинут.

Подойдя поближе, Фред и Элли увидели крепостную стену примерно в четыре человеческих роста. Удивительной оказалась эта стена! Она вся была покрыта необычайно яркими картинами, которых не могла разрушить даже вековая сырость подземелья.

Это, впрочем, объяснилось просто. Картины были мозаичные, сделанные из мельчайших кусочков разноцветного стекла, над которым не властно время.

Содержание картин было самое разнообразное. На одной изображался, как видно, суд царя над подданными. Царь в роскошной одежде сидел на троне, а подсудимые стояли перед ним на коленях, и у каждого на шее была верёвка. На другой можно было видеть пир, на третьей — какие-то состязания...

Лица и фигуры людей показались Элли смутно знакомыми. Как будто когда-то видела она таких маленьких толстых человечков с большой головой на толстой шее, с огромными сильными кулаками...

— Прыгуны! — вдруг воскликнула девочка и боязливо сжалась, точно ожидая удара. — Помнишь, Фредди, я рассказывала тебе, как Гудвин улетел на шаре? А мы отправились за советом к Стелле. И там нам перегородила дорогу Гора Прыгунов, через которую нас перенесли Летучие Обезьяны... Ну так вот, это те самые Прыгуны, — закончила Элли, — и если они ещё здесь, нам несдобровать!

— Да разве ты не видишь, что тут уже сотни лет никто не живёт? Пошли дальше!

Элли вдруг расхохоталась.

— Смотри-ка, смотри, охота на Шестилапого! Ну, ты всё ещё сомневаешься, что Страна Подземных рудокопов недалеко?

На картине было ярко и живо изображено, как масса маленьких толстых человечков нападала с копьями на Шестилапого, а тот, приподнявшись на задних ногах, отбивался от врагов передними.

Издали донесся яростный лай, и Фред, обернувшись, воскликнул:

— А вон и они сами!

ПРИКЛЮЧЕНИЕ С ЛОДКОЙ

К берегу, должно быть на водопой, подходило целое стадо Шестилапых, косолапо ступая короткими сильными ногами. А Тотошка отчаянно лаял. Фред понял, что прогулка чудовищ может окончиться бедой. Стоит им сослепу наступить на лодку — от неё останутся щепки.

Фред, махая руками и оглушительно вопя, понёсся к берегу, далеко оставив позади Элли. Та же спешила изо всех сил, пронзительно визжа...

Собачий лай и людские крики напугали туго соображавших Шестилапых, и те, повернув, побежали рысцой в какую-то боковую пещеру, из которой вышли. Но один из них, забрав в сторону, ухитрился всё-таки наступить на кормовой ящик лодки. Лодка хрустнула, от её кормы остались лохмотья. К счастью, Тотошка, привязанный к носовому кольцу, уцелел.

Подбежавшие ребята испуганно смотрели друг на друга.

— Что я наделала! — воскликнула Элли и залилась слезами. — Зачем мне понадобилось смотреть этот противный город?

Фред нежно утешал сестрёнку.

— Судя по всему, — говорил он, — до конца наших странствий остаётся не так уж далеко. Дойдём пешком.

— А если река заполнит всю пещеру? Ведь я же очень плохо плаваю!

— Зато я хорошо, я тебе помогу, — храбрился Фред.

Катастрофа была непоправима, и ребята, собрав всё, что уцелело при крушении, грустно поплелись по берегу. Неисправимый Тотошка, уже забывший, что ему только что грозила гибель, носился по берегу, разыскивая неизвестно какую добычу.

Прошли около полумили. Шагать по неровным скользким камням, покрывавшим берег, да ещё тащить на себе вещи было совсем не то, что спокойно сидеть в байдарке и бесшумно скользить по поверхности воды. Только теперь Элли в полной мере поняла, чем была для них лодка...

Тотошка, отбежавший шагов на двести от воды, звонко залаял. Теперь его лай был не тревожным, а радостным. Он возвещал о какой-то важной находке. Элли и Фред поспешили туда и чуть с ума не сошли от радости: на высоком помосте из камней лежала кверху дном лодка! И сделана она была из кожи Шестилапого, а рёбрами служили звериные кости.

— Я, кажется, понимаю, — сказал Фред. — Эти Прыгуны, как ты их называешь, жили тут давным-давно, а потом, наверно, им пришлось переселиться, и они ушли в верхнюю страну. Но ведь отсюда можно выбраться только водой. Вот они и наделали лодок из кожи и рёбер Шестилапых. Одна, должно быть, оказалась лишней, они её оставили здесь. И, может быть, думали вернуться за ней, а так как знали повадки этих зверюг, то подняли её на помост. Вот она и сохранилась, на наше счастье!

— Да, конечно, это так и было, — согласилась девочка.

— Я бегу за веслом! — крикнул Фред.

— А я боюсь оставаться тут одна, — сказала Элли, и брат поднял её, усадив на выпуклое дно лодки.

Мальчик вернулся очень быстро. Лодку спустили с помоста и доволокли до берега с трудом, так как она была намного больше и тяжелее байдарки. Как видно, звериная кожа служила превосходным материалом: лодка отлично сохранилась, была вместительна и устойчива.

Фред сел на корму, взмахнул веслом, и вновь обретённое судёнышко понеслось по волнам.

В СТРАНЕ ПОДЗЕМНЫХ РУДОКОПОВ

Вскоре после приключения с Шестилапыми ребята, утомлённые переживаниями, захотели спать. Они теперь не решились ночевать на берегу: а вдруг придут звери и наступят на них? Фред разыскал укромную бухточку среди крутых берегов, куда не добраться было никому, и там пристроил лодку.

— Я надеюсь, что это наш последний ночлег, а завтра мы будем у рудокопов, — сказала Элли, после того как они поужинали сырой рыбой и стали укладываться на дне лодки.

— А ты не боишься, что нас плохо встретят? — озабоченно спросил Фред.

— Сказать по правде, боюсь, — призналась Элли. — Рамина предупреждала меня, что они не любят, когда посторонние интересуются их делами. И я до сих пор помню, какое злое лицо было у воина, пустившего в меня стрелу... Сейчас у меня одна надежда: они, я думаю, не сделают нам вреда, когда увидят, что мы только дети, и узнают, что мы попали к ним в страну случайно, без намерения...

— Хорошо, если это будет так, — заключил разговор Фред и невольно поёжился.

Утром река понесла их вперёд. Бессмысленно было бы теперь пытаться отдалить встречу с неизбежным.

Прошло несколько часов, свет стал ярче, своды пещеры раздвинулись и поднялись, и перед путешественниками открылась величественная Страна Подземных рудокопов.

Даже для Элли это было необычайным зрелищем, хотя она видела его второй раз. А что говорить про Фреда! Мальчик был потрясён

и очарован. Эта неизмеримая вышина, где клубились золотисто-розовые облака, эта грустная осенняя даль с лесистыми холмами и разбросанными между ними деревушками, этот город, смутно видневшийся вдали...

Всё это было поразительно и неповторимо, и стоило совершить далёкое и опасное путешествие, чтобы это увидеть... но оставят ли их в живых хозяева этой удивительной страны?..

А тут новое чудо потрясло ребят: заговорил Тотошка.

Элли, по правде, не особенно и удивилась: ведь Пещера была частью Волшебной страны, а в ней разговаривали все животные и птицы. Но Фред просто не мог опомниться от удивления.

— Тотошка! Ты разговариваешь по-человечески?

— А что тут особенного, ав-ав? — отвечал пёсик. — Волшебная страна — отличное место для нашего брата, и только здесь мы можем вполне проявить свои способности...

Фред от души расхохотался.

— Да ты не только говоришь, а ещё и говоришь красноречиво! Вот послушала бы тебя наша учительница мисс Браун! Чем угодно ручаюсь: она поставила бы тебе высший балл!

Тотошка самоуверенно сказал:

— А я бы учился не хуже вас, мальчишек!

Тем временем река, которая делалась всё мельче, вдруг совсем исчезла. Видно было, как вода, шипя и бурля, уходила в почву меж камнями: её сток в озеро был подземный.

Лодку пришлось бросить и идти пешком. Ребята отправились налегке, потому что у них почти не осталось вещей. Несколько миль они прошли молча, подавленные необычайностью обстановки, только Тотошка что-то тихонько бормотал про себя — наверно, упражнял свою новую способность.

До города оставалось уже недалеко.

— Летит! Летит! — вдруг взвизгнула Элли, смотревшая вверх...

Тотошка жалобно и грозно взвыл, сразу забыв своё умение разговаривать, а Фред поднял голову. Из облаков быстро спускалась тёмная точка, росла, росла, и вот уже можно было различить чудовищного дракона со всадником на спине.

Ящер спустился совсем низко, описал над путниками несколько кругов, блестя жёлто-белым брюхом и шумя кожистыми крыльями.

Сидевший на нём страж с луком в руке и колчаном за спиной внимательно рассматривал ребят, не говоря ни слова. Бледное лицо его с крючковатым носом было бесстрастно. Потом он повернул дракона и улетел к городу.

— Обойдётся, — сказал ободрившийся Фред. — Первая встреча — самая важная. Он полетел докладывать о нас. Элли, прибери волосы, ты совсем растрёпанная...

Пройдя ещё несколько сот шагов, Фред и Элли увидели, как из городских ворот высыпала огромная толпа людей в разноцветных одеждах. Сердце у Элли ёкнуло, но, подойдя вплотную, она храбро обратилась к нескольким людям, выделявшимся важностью осанки:

— Мы от всего сердца приветствуем вас, господа подземные жители!

Пришельцы низко поклонились, а Тотошка гавкнул, вызвав немалый переполох в передних рядах зрителей.

Элли продолжала:

— Мы не враги, не разведчики, мы с братом Фредом попали в вашу страну нечаянно. Там, у себя на родине, мы осматривали одну пещеру, а потом... — Голос Элли задрожал. — А потом случился обвал, нас отрезало от выхода, и мы в поисках спасения сначала шли, а потом плыли на лодке много-много дней, так много, что даже потеряли им счёт...

В это время неподалёку от толпы спустился ещё один страж. Он проворно спрыгнул с дракона и подошёл к горделиво стоявшему впереди человеку. Низко склонившись, он что-то доложил ему, и человек — это был король Ментахо — сказал:

— Девочка, ты лжёшь. Мне только что сообщили, что вы приплыли на лодке из кожи и рёбер Шестилапого. У вас наверху не может быть таких лодок, это только здесь, под землёй, их делают.

— Простите, сударь, — смело возразила Элли, но один из придворных поправил её: «Говори: Ваше Величество». — Прошу прощения, Ваше Величество, у нас была лодка из дерева и парусины. В ней-то мы и плыли, но её раздавил Шестилапый близ заброшенного города Прыгунов. И там, на берегу, мы нашли это кожаное судно, сделанное в древние времена.

Простота и ясность Эллиного объяснения произвели на слушателей благоприятное впечатление, и их лица стали более приветливыми.

Король Ментахо сказал:

— Ты, по-видимому, говоришь правду. Но скажи нам, как тебя зовут, кто ты такая, кто этот мальчик и что за удивительного зверя ты держишь на руках?

Элли начала отвечать на вопросы с конца.

— Этот зверёк, — сказала она, — моя собачка...

— Честь имею рекомендоваться, Тото! — перебил пёсик. — Если мы с вами сойдёмся поближе, вы можете называть меня Тотошкой.

— Тотошка, бесстыдник, молчи! — прикрикнула Элли и дёрнула пёсика за ухо. — Видите ли, он очень умный и преданный пёс, но немного болтлив и хвастлив. А мальчик, о котором вы спросили, — это мой троюродный брат Фред Каннинг из Айовы. Он храбрый и ловкий, прекрасно ездит на лошади и перешёл в четвёртый класс. Ну а что сказать вам обо мне? Зовут меня Элли Смит, я самая обыкновенная девочка из канзасской степи...

Тут из толпы послышался ехидный голос:

— Не верьте ни одному её слову! Эта «самая обыкновенная девочка» уничтожила двух могучих волшебниц, Гингему и Бастинду, и сокрушила власть Урфина Джюса с его свирепыми деревянными солдатами. Прошу прощения у Ваших Величеств, что заговорил без разрешения, но я не мог удержаться.

— Кто это там? А, Руф Билан! — воскликнул низенький толстый король Барбедо. — Ну что же, выходи, не прячься! Ты говоришь интересные вещи.

Ряды зрителей раздвинулись, и вперёд вышел коренастый человек в лакейской ливрее. Заплывшие глазки его с откровенной враждой глядели на Элли. Тотошка вызывающе залаял на Билана, а девочка усмехнулась:

— Ах, это и есть тот самый предатель Руф Билан, бывший первый министр Его Величества Урфина Джюса? Вы, оказывается, живы, сударь? А мы там, наверху, считали, что вас сожрали Шестилапые после того, как вы удрали от народного гнева в подземелье. Но здесь, кажется, вы не процветаете?

В толпе раздался хохот, и даже семь королей улыбнулись. Удар был нанесён метко, и толстое лицо Руфа Билана побагровело от стыда.

Король Ментахо удивлённо крякнул:

— А вы умеете владеть собой. Как вы ловко отчитали этого бездельника! Знаете, Элли, по вашему поведению трудно поверить, что вы в самом деле обыкновенная девочка.

— Да нет же, нет, Ваше Величество! — вмешался Руф Билан. — Она — фея и недаром является в нашу страну в третий раз. Она что-то болтала про обвал, но разве обвалу под силу похоронить фею?

— Если б вы его видели, вы не говорили бы этого, — возмущённо возразила Элли. — В прошлый раз мы с дядюшкой Чарли действительно явились в Волшебную страну по просьбе Страшилы и Железного Дровосека, но теперь это получилось против нашей воли. И сейчас у нас с Фредом единственное желание — поскорее вернуться домой, к нашим родителям, которые оплакивают нас. Ведь правда, Фредди?

— Конечно, — с усилием выговорил мальчик.

Это было первое слово, сказанное им подземным жителям.

— Отпустите нас наверх, Ваши Величества, — попросила Элли. — Мы повидаемся с нашими друзьями и, конечно, найдём способ покинуть Волшебную страну.

— Отпустить вас? — сказал Ментахо. — Об этом надо подумать.

— Нет, не отпускайте её, Ваши Величества! — отчаянно завопил Руф Билан. — Я правда без злого умысла лишил вашу страну Усыпительной воды и я же — прошу вас это запомнить! — указываю вам средство вернуть её. Элли — могучая фея, она не раз это доказала, и её колдовство может сделать многое...

Намёк был слишком ясен, и на лицах семи королей появился живой интерес.

— Ах вот как! — воскликнул король Барбедо. — Восстановить Священный источник — это было бы великое дело!

— Да что вы выдумываете, — чуть не со слезами заговорила Элли. — Какой Священный источник? Какое колдовство? Я ничего не понимаю...

— Скоро вы всё поймете, — с утончённой любезностью молвил король Ментахо. — В нашем бедственном положении мы не должны упускать даже самой малой надежды на спасение. Мы не сделаем ни вам, ни вашим спутникам никакого вреда, мы будем обращаться с вами с величайшим почётом, но о том, чтобы вы отправились в верхний мир, об этом пока не может быть и речи...

Путешественников повели в Радужный дворец.

УГОВОРЫ

Фреду, Элли и Тотошке отвели по роскошной комнате в Оранжевой части дворца, их сытно кормили, несмотря на недостаток пищи в стране. Пленникам даже разрешались прогулки, но только в сопровождении двух шпионов.

Раза два ребята катались на лодке под парусом. Лёгкий ветерок гнал судёнышко по слегка взволнованному озеру, и можно было бы вообразить себя на воле... но парусом управлял молчаливый шпион с угрюмым лицом, а второй сидел у руля. Короли боялись, как бы Элли и её брат не ускользнули из Подземной страны тем же путём, каким в неё явились.

На другой день после того, как невольные путешественники попали в Город Семи владык, им стала известна история Усыпительной воды. Её рассказал летописец Арриго, невысокий худощавый человек средних лет с умным лицом и вдумчивым взглядом серых глаз.

От него Фред и Элли узнали, как несколько столетий назад королевский ловчий Ортега нечаянно наткнулся в лабиринте на источник чудесной воды и как Хранитель времени Беллино придумал усыплять королей и их свиты на время междуцарствий.

— Это было очень хорошо, — говорил Арриго приятным мягким голосом. — Народ кормил только один королевский двор, а шесть прочих мирно почивали в уединённых кладовых, и не было никакой заботы, кроме той, чтобы уберечь их от прожорливых мышей, а их одежду от моли...

— Ну а что, если бы их съели мыши? — лукаво спросила Элли.

Летописец ужаснулся:

— Что вы, что вы? Живых людей?! Потому что они ведь были живые, хотя и спали волшебным сном.

Элли призадумалась, а потом задала такой вопрос:

— Скажите, почтенный Арриго, а ваш народ не подумывает о том, чтобы свергнуть королей и жить без них?

Арриго опять ужаснулся:

— Жить без королей?! Да ведь королевскую власть установили наши предки! И кроме того, мы же давали клятву верности!

Элли и Фред переглянулись. Да, у этих подземных жителей ещё слишком велико было почтение к королям, и трудно его побороть.

Вечером (время дня в Пещере определялось по песочным часам) ребят вызвали в Оранжевые покои к королю Барбедо.

Король сидел на троне, его большая лысая голова слабо сияла при свете фосфорических шариков.

— Как вас поместили, фея Элли? — спросил Барбедо. — Как кормят? Нет ли у вас каких-либо желаний?

— У нас одно желание, — ответила Элли, — отпустите нас наверх.

— Это невозможно, — молвил Барбедо, — по крайней мере, до тех пор, пока вы не вернёте нам Усыпительную воду.

— Тогда пошлите наверх гонца, сказать Страшиле, что мы здесь.

— Нет, мы этого не сделаем, — улыбнулся король. — Если наверху узнают, что мы держим вас у себя, они попытаются вас освободить, и это может привести к большим неприятностям.

Элли и Фред угрюмо молчали.

Барбедо продолжал умоляюще:

— Ну, дорогая фея, ну что вам стоит пустить в ход одно маленькое-маленькое колдовство, когда вы делали столько больших дел? Вы прилетели из внешнего мира на Убивающем Домике и — крак! крак! — сели на голову злой волшебнице Гингеме. Вы растопили могучую колдунью Бастинду, повелительницу волшебных волков и Летучих Обезьян... («Конечно, обо всём этом разболтал подземным королям противный Руф Билан», — подумала Элли.) И вы ещё будете нас уверять, что вы не в силах вернуть Усыпительную воду?

Все уговоры оказались, однако, напрасными, и раздражённый Барбедо отпустил ребят.

Очутившись одна в своей комнате, Элли решила: «Вызову Рамину. Королева мышей — мудрая фея, она даст мне хороший совет».

Девочка подула в серебряный свисточек Рамины раз, другой, третий. Никакого результата. Ещё и ещё. Ничего.

Элли поняла: волшебство свистка не распространяется на Подземную страну, и маленькая фея в мышиной шкурке не могла явиться к своей большой подруге.

С тех пор ребят почти каждый день вызывал к себе то один король, то другой, а иногда короли набрасывались на бедную девочку вдвоём, втроём и даже вчетвером. И наконец утром одного дня Элли объявили, что её приглашают на Большой Совет. Это известие повергло её в панику, и она заплакала.

— Послушай, сестричка, — сказал Фред, — а почему бы тебе не обмануть их? Притворись, что ты согласна только попробовать, но не ручаешься за успех. Они и этому будут рады. Тебе, конечно, понадобится осмотреть источник, ты возьмёшь с собой меня и Тотошку, а там нам, может быть, и удастся удрать.

— Фредди очень хорошо придумал, — сказал Тотошка, — и я решительно поддерживаю его план.

Элли вытерла слёзы и признала, что план недурён.

ТОТОШКИНО БЕГСТВО

Стоя перед пышным собранием королей и придворных, Элли смущённо сказала, что попытается сделать то, о чём её просят, но боится, что у неё ничего не выйдет. Слова Элли вызвали бурю ликования. Раздались возгласы:

— Наконец-то!

— Давно пора!

— У такой могучей феи, да не выйдет!

Элли и Фред ушли с собрания совсем оглушённые.

На следующий день к разрушенному источнику отправилась большая экспедиция. Вёл её король Ментахо. На тот случай, если Элли устанет, взяли носилки. Блестящие шарики на шапках обитателей Пещеры освещали дорогу. Получил такой шарик на свой берет и Фред Каннинг. Время от времени он снимал берет с головы и с восхищением разглядывал удивительный светильник. Летописец Арриго, тоже взятый в экспедицию (он должен был записать в книгу отчёт о ней), шёл рядом с Фредом и рассказывал мальчику, как получаются фосфорические шарики.

— Светящееся вещество добывают из шерсти Шестилапых, — говорил Арриго. — Очередную партию стригут, хотя зверям это очень не нравится и при стрижке они отчаянно ревут. Снятую шерсть вымачивают в огромном чане с водой. Когда взятые из чана пробные клочки уже не светят в темноте, это означает, что всё светящееся вещество растворилось в воде.

— А потом эту воду выпаривают? Ага? — догадался Фред.

— Вы совершенно правы. На дне и стенках чана оседает кристаллический порошок, похожий на мелкую соль. Он светится так ярко, что натёртые им руки кажутся горящими. Порошок смешивают с рыбьим клеем и намазывают шарики, выточенные из твёрдого дерева. Шарики сохраняют светимость в течение столетий, и государство ведёт им строгий учёт.

— Всё это очень любопытно, — сказал Фред. — В вашей стране много чудесного и хорошего, только всё это ни к чему, пока над вами сидят короли.

Арриго огляделся вокруг, нет ли поблизости шпиона, и шепнул на ухо Фреду:

— А знаете, я думал над словами госпожи Элли и нахожу теперь, что в них много правды...

«Вот у нас и появился союзник», — радостно подумал мальчик.

Часть долгого пути Элли проделала на носилках. В Священной пещере видны были следы упорной работы: всё было изрыто, перекопано.

Элли встала у остатков бассейна и приказала всем присутствующим, кроме Фреда и Тотошки, отойти подальше, предупредив, что заклинания, которые она будет произносить, могут повредить простым смертным. Все в испуге бросились прочь.

Элли заговорила, делая руками в воздухе странные жесты:

— Убежать отсюда при таком надзоре невозможно, но вот, по крайней мере, случай поговорить наедине, дорогие мои!

В самом деле, днём пленников постоянно окружали шпионы, а на ночь всех троих отводили в разные комнаты.

Элли продолжала:

— Кому-то из нас надо убежать наверх. Кому? Конечно, Тотошке. Надзор за ним слабее, чем за нами. И я придумала вот что. Мне удалось поговорить с Арриго без свидетелей под тем предлогом, что я должна выяснить кое-какие подробности насчёт Усыпительной воды. Я узнала от него, что послезавтра будет базарный день: рудокопы станут торговать с Жевунами. Триста работников понесут к Торговым воротам приготовленные для обмена товары, и с ними пойдут три писца переписывать закупленное. В число этих писцов войдёт Арриго. Он нам сочувствует.

— Знаю, знаю, — начал было Фред, но Элли тотчас перебила его, властно махнув рукой:

— Молчи, не перебивай моих заклинаний! Турабо́, фурабо́, бо́тало, мо́тало!..

Она сказала это так громко, что слова донеслись до короля Ментахо и его спутников, и те боязливо попятились.

— Тотоша, Арриго незаметно унесёт тебя под одеждой и, воспользовавшись базарной суетой, выпустит наверх. Ну а там ты будешь знать, что делать.

— Да уж будь спокойна, — важно отвечал пёсик. — Тото никого никогда не подводил.

— Знаю, знаю, — улыбнулась Элли. — Опять расхвастался. Попадешь к Жевунам, они тебя доставят в Изумрудный город, а там Страшила со своими мудрыми мозгами придумает, как нас выручить. — Элли громко закончила: — Бумбара́, чуфара́, ско́рики, мо́рики, пикапу́, трикапу́, ло́рики, ёрики!.. — И тихо шепнула Фреду: — Это волшебные слова Виллины, но я очень сомневаюсь, что у меня они подействуют...

Элли обвела несколько раз руками вокруг головы, трижды топнула ногой и решительно направилась к испуганной толпе зрителей.

— Ваше Величество! — торжественно обратилась она к Ментахо. — Я сделала всё, что могла. Результат может обнаружиться только через неделю. Но его может и не быть, — добавила она осторожно, — если против моих чар восстанет сильный подземный дух, разгневанный бессмысленным поступком Руфа Билана.

Элли с мстительной радостью заметила, как при этих словах побледнело лицо изменника, находившегося тут же, в свите Ментахо.

— Тогда, — закончила Элли, — мне придётся придумывать новые, более действенные заклинания.

План бегства Тотошки удался блестяще. Никто не заметил, как Арриго перед уходом каравана с товарами запрятал пёсика под куртку и тот притаился там, почти не дыша. А потом, когда Арриго и прочие писцы ночью вышли из ворот пересчитывать и переписывать полученные от Жевунов продукты, летописец отошёл в сторонку и выпустил собаку.

КОНЕЦ ПОДЗЕМНОГО ЦАРСТВА

СТРАШИЛА И ДРОВОСЕК НАЧИНАЮТ ДЕЙСТВОВАТЬ

Жевуны необычайно изумились, увидев Тотошку. Они радостно рассмеялись, и бубенчики на их голубых шляпах дружно зазвенели.

— К нам опять явился удивительный зверёк, спутник Элли! — кричали они. — А где же сама фея Элли? И где Великан из-за гор?

— Простите, но мне некогда с вами долго разговаривать, — важно ответил пёсик. — Скажу одно: Элли с братом томятся в плену в Подземной стране, и я должен их выручать.

Мрачная новость так ошеломила Жевунов, что они зарыдали, а бубенчики на шляпах отозвались весёлым звоном. Жевуны сердито сдёрнули шляпы, чтобы те своим звоном не мешали им плакать, и поставили их на землю.

— О, что же нам делать? — безутешно рыдали Жевуны.

— Перестаньте без толку реветь и поскорее отнесите меня к Прему Кокусу! — приказал Тотошка.

Прем Кокус был правителем Голубой страны, и его поместье находилось не очень далеко оттуда. Несколько молодых быстроногих Жевунов помчались к дому правителя, передавая из рук в руки Тотошку. К рассвету они были на месте.

— Мне нужно как можно скорее попасть в Изумрудный город к Страшиле Мудрому, — заявил пёсик после того, как кратко рассказал Кокусу о событиях в Стране Подземных рудокопов.

Правитель понял всю важность дела. К нему накануне прибыл быстроногий деревянный почтальон, доставивший указы Страшилы Мудрого, касавшиеся управления Голубой страной. Этому почтальону и приказал Кокус отнести собачку в Изумрудный город.

Поручение было выполнено с необыкновенной скоростью: деревянный гонец не уставал, как живые существа, и мог бежать день и ночь, потому что в темноте видел так же хорошо, как и днём.

Через десять часов почтальон уже ударил в колокол у ворот Изумрудного города. После третьего удара калитка открылась, и на пороге сводчатой комнаты, украшенной бесчисленным количеством изумрудов, показался маленький человек в зелёных очках. Это был Страж Ворот Фарамант. На боку у него висела сумочка с зелёными очками всевозможных размеров.

— Ах, это вы, — спокойно сказал Фарамант. — Я ждал вас. А где госпожа фея Элли?

Узнав о том, что Элли в плену, Фарамант горестно удивился, потом сказал:

— Я проведу вас к правителю города Страшиле Мудрому, который, как и я, будет непритворно огорчён. Но вы должны надеть зелёные очки. Таков приказ Гудвина Великого и Ужасного. Однажды мы его нарушили, и нас за это постигли великие бедствия.

Он выбрал из сумки очки и со словами «это — ваши, здесь есть пометка» надел на голову Тотошки и защёлкнул сзади маленьким замочком. И тотчас всё перед взором Тотошки заиграло всевозможными оттенками зелёного цвета.

Неизвестно, как это получилось, но едва Тотошка со своим провожатым сделал несколько шагов по улице, где высокие дома вверху почти сходились и бросали прохладную тень, как всему городу стало известно о печальной судьбе Элли.

Горожане высовывались из окон, выражая свое сочувствие пёсику, а многие выходили из домов и шли за Тотошкой и Фарамантом.

Ко дворцу подошла уже целая толпа взволнованных людей, но им пришлось долго кричать и стучать палками по перилам ограды, прежде чем они привлекли внимание Длиннобородого Солдата. Тот, как всегда во время службы, стоял на башенке, смотрелся в зеркальце и расчёсывал свою великолепную бороду, спускавшуюся до земли. Наконец он услышал шум и крики, опустил подъёмный мост и подхватил в свои объятия Тотошку, которого очень любил.

Нет слов, чтобы описать горе Страшилы и гостившей у него Кагги-Карр, когда они узнали о том, что их любимица Элли попала в плен к подземным жителям и у неё нет никакой надежды вырваться от них.

Страшила принялся думать. Он думал так долго, что иголки и булавки, примешанные Гудвином к его мозгам, полезли наружу. Потом он сказал:

— Надо призвать Железного Дровосека. Конечно, умные мозги — самое важное на свете, но и любящее сердце многого стоит. Вдвоём мы скорее что-нибудь придумаем.

И Кагги-Карр тотчас полетела за Дровосеком. Через четыре дня Дровосек явился в сопровождении маленького старичка Лестара, лучшего мастера страны Мигунов. Дровосек сообщил, что ворона, принеся ему грустное известие, полетела дальше, в царство Смелого Льва, рассказать и ему, что случилось.

Говоря о несчастье, постигшем Элли, Дровосек так расстроился, что слёзы потекли у него из глаз, челюсти заржавели, и он только махал руками, не в силах вымолвить ни слова.

— Вот опять ты онемел! — вскричал Страшила, отвязал от пояса Дровосека маслёнку и смазал друга. — Ведь знаешь, что тебе нельзя плакать!

— Н-не м-мог удер-ржаться, — с усилием вымолвил Дровосек. — М-мне т-так её ж-жаль...

— Ты уже заикаться начал, — с неудовольствием молвил Страшила, — а прежде с тобой этого не случалось.

— Ч-что поделаешь, с-старею, м-мой друг, — признался Дровосек. — Стоит мне расчувствоваться, и не м-могу говорить. Надо будет посоветоваться с врачом...

Тотошке пришлось подробно повторить для Дровосека и Лестара рассказ о приключениях в подземелье. Элли и Фред заочно удостоились многих похвал за своё мужественное поведение. Правда, пёсик не жалел красок. Услыхав об исчезновении Усыпительной воды, Лестар многозначительно крякнул.

— Вы что-то хотели сказать? — осведомился Страшила.

— Нет, это так, пришла в голову мысль, да, наверно, вздорная...

Быстрокрылая, несмотря на свои годы, Кагги-Карр не заставила себя долго ждать. Она побывала в царстве Льва и вернулась с серьёзными известиями.

— Лев собирается идти войной на подземных королей, — сказала Кагги-Карр. — Когда он узнал, что короли держат Элли в плену и не хотят отпускать, он пришёл в неописуемую ярость. Если б они попались ему в то время под руку... то есть под лапу, я не знаю, что бы он с ними сделал. Ох, боюсь, что Гудвин дал ему слишком большую порцию смелости, — озабоченно добавила ворона.

— Что он делает? — спросил Страшила.

— Когда я улетала, он собирался рассылать гонцов по своему царству — объявить всеобщий сбор ополчения.

— А мы разве хуже? — вскричал Страшила, и его соломенная грудь наполнилась воинственным пылом. — И мы можем собрать войско, не правда ли, Дровосек?

— Я для Элли пойду на любые опасности, — заверил Железный Дровосек.

— И мы, Мигуны, тоже, — подтвердил Лестар.

В разговор вмешался Фарамант.

— Мы принимаем очень важное решение, — сказал он, — и я полагаю, что нужно сообщить об этом Элли.

— Правильно, но как это сделать? — спросил Дин Гиор.

— Напишите письмо, а я его доставлю, — вызвался Тотошка.

— Милый Тотошка, мы заранее благодарим тебя за услугу, но как ты это сделаешь? — поинтересовался Фарамант.

— Из подземелья в верхний мир выбраться не всякий сумеет, а я это сделал, — похвалился пёсик. — Ну а попасть туда для меня просто пустяки!

Фарамант и Дин Гиор сели писать письмо.

ТОТОШКА ПРИНОСИТ ПИСЬМО

Прошло около двух недель со дня исчезновения Тотошки. Короли ни в чём не заподозрили Элли, потому что она поступила умно. Не дожидаясь, пока её начнут расспрашивать об этом событии, она сама явилась к Ментахо и обвинила шпионов в том, что они плохо следили за собачкой.

— Бедный мой, милый, глупый Тотошка! — кричала Элли, утирая слёзы. — Наверно, его съел какой-нибудь ужасный Шестилапый, а ваши люди не уберегли моего пёсика!

Кончилось тем, что Ментахо даже принёс Элли извинения за небрежность шпионов.

Элли и Фред жили в постоянном напряжении. Арриго сумел шепнуть им, что всё прошло удачно и что Тотошка встретился с Жевунами. Теперь оставалось ждать каких-то шагов со стороны Страшилы и Железного Дровосека, но как томительно тянулись дни ожидания!

На пятнадцатый день после исчезновения Тотошки Фред и Элли прогуливались по берегу Срединного озера, с тоской глядя на его свинцовые воды, освещённые золотистым отблеском облаков. В отдалении прохаживались два соглядатая, не спуская с пленников глаз.

Брат и сестра добились разрешения находиться вдвоём без соседства докучливых шпионов. Получилось это так. Миновала неделя с того времени, как Элли колдовала над иссякшим источником, но вода, конечно, не появилась. Короли упрекнули Элли в том, что её чары не подействовали, а та резонно возразила:

— Я же предупреждала! Подземный дух, владеющий водой, очень силён. Теперь мне надо придумывать новые заклинания, но я не могу этого делать, у меня нет условий.

— Какие вам нужны условия? — спросили короли.

— Я должна советоваться с братом. Он — мой помощник и знает много тайных вещей. Но наши разговоры не должно слушать ничьё чужое ухо, иначе чары потеряют силу.

С этого дня соглядатаи стали держаться вдалеке.

Глядя на озеро, Элли тоскливо сказала:

— Где-то теперь мой ненаглядный Тотошенька, что он поделывает?

И вдруг внизу послышался тонкий голосок: «Я здесь!» — и маленький шелковистый клубочек припал к ногам Элли.

— Тотошенька! — радостно воскликнула девочка и подхватила пёсика на руки. — Милый мой, вернулся, ты вернулся!

Гладя Тотошеньку, Элли нащупала под его ошейником плотно свёрнутую бумажку. Девочка догадалась, что это письмо из верхнего мира, но не стала вынимать его. Шпионы не слышали их разговоров, но прекрасно видели все действия.

Пришлось ждать, когда они окажутся одни в комнате Элли: такую льготу мнимая фея тоже выговорила себе.

Элли с волнением развернула бумажку. Там было написано:

«Глубокоуважаемой Элли, Фее Убивающего Домика,
Фее Спасительной Воды — привет!

Мы — Страшила Мудрый, Железный Дровосек, Кагги-Карр, Дин Гиор, Фарамант, Лестар — узнали о твоём бедственном положении, и наше горе бесконечно. Но мы сделаем всё возможное и даже невозможное, чтобы выручить тебя. Скажи семи подземным королям, что, если они не отпустят тебя и твоего брата добром, мы пойдём на них войной. Лев уже собирает в своём царстве звериную рать, а мы создадим армии из Мигунов и жителей Изумрудной страны.

С сердечным нетерпением ждём тебя наверху и крепко обнимаем.

По поручению всех остальных
Фарамант».

Окончив читать письмо вслух, Элли немного всплакнула, потом улыбнулась и сказала:

— Какие же они все хорошие! Как любят меня... Но война... Нет, нет, я не хочу, чтобы из-за нас разразилась ужасная война!

Фред возразил:

— А что ж, так и будем тут сидеть до самой смерти? Ты столько водилась с волшебниками и феями, а всё равно в тебе нет волшебства ни на один цент, и тебе не расколдовать Священный источник!

— Я надеюсь, что, когда короли поймут, что я не фея и ничего не могу сделать, они нас отпустят.

— Ещё бы! — насмешливо сказал Фред. — Короли тупы и глупы, как дубовые чурбаны.

— Как бы то ни было, я войны не допущу! — решительно воскликнула Элли. — Но всё-таки я скажу королям, что верхние требуют моей выдачи и собираются воевать. Быть может, это их напугает.

— Попробуй! — согласился Фред.

Неожиданное появление таинственно исчезнувшего Тотошки произвело на подземных жителей сильное впечатление. А дело объяснялось очень просто: Жевуны доставили пёсика к Торговым воротам и пропихнули его в дырку, которая была внизу и на которую охрана не обращала никакого внимания. Пробраться незаметно в окрестности города Тотошке ничего не стоило.

Элли потребовали к королю Ментахо. Проницательно глядя на девочку, король сказал:

— Вы жаловались, что наши люди не уберегли маленького зверя. Но вот он снова здесь. Чем вы это объясняете?

— А хотя бы моим колдовством! — смело ответила Элли.

Ментахо смутился.

— Прошу прощения, — пробормотал он. — Конечно, нам, простым смертным, не подобает вмешиваться в волшебные дела. Но я очень рад, что вы наконец отбросили притворство. И теперь вы волей-неволей вернёте нам Усыпительную воду.

Теперь покраснела Элли.

— Видите ли, Ваше Величество, это совсем другое дело, — начала она оправдываться. — Но об этом мы поговорим с вами в другой раз. А сейчас я должна сказать, что у меня есть к вам серьёзное поручение из верхнего мира.

— Ко мне лично?

— Ко всем семи подземным королям.

— Тогда мы все вместе и выслушаем его на Большом Совете.

ВОЙНА!

Во второй раз Элли выступила перед Большим Советом гораздо смелее. Её уже мало смущали ряды придворных в разноцветных одеждах и величавая осанка королей.

Недрогнувшим голосом Элли объявила ультиматум Страшилы. К большому разочарованию ребят, он не произвёл желательного действия. А дело объяснялось весьма просто. Короли и придворные, проспавшие несколько столетий, никогда не воевали и совершенно не представляли себе, что такое война, как она ужасна.

Первым выступил воевода Гаэрта. Он знал о войне из старинных летописей, написанных тысячу лет назад.

— Война, хо-хо! — оглушительно кричал он с трибуны. — Война — это весёлое дело! Война — это поход, бьют барабаны, там-там-там! Мы разбиваем врага, забираем добычу: амбары с пшеницей, бочки вина, скот, птицу! Какой пир мы учиним после победы, хо-хо!

Перечисление трофеев произвело на членов Совета большое впечатление: у них заблестели от жадности глаза.

Тут вмешалась Элли. Не выдержав, она закричала со своего места:

— Вы ничего не знаете о войне! Война — это кровь, страдания, смерть!.. И почему вы так твёрдо уверены, что победите?

Гаэрта ответил:

— В этом нет никакого сомнения! У нас — драконы, у нас — звери! Да стоит напустить на верхнюю армию сотню Шестилапых, не покормив их суток двое, и они всех разорвут в клочки!..

Гаэрта торжествующе сошёл с трибуны. Элли помрачнела: она поняла, что у подземных королей есть действительно мощные средства борьбы.

Выступил Ментахо. Из всех королей он был самым умным. Ментахо не разразился воинственными криками. Он просто сказал:

— Конечно, война — это не такая весёлая прогулка, как старается представить воевода Гаэрта. Я сознаю

наши слабости: если мы выйдем наверх, мы ничего не будем видеть, и враги заберут нас голыми руками. Наши драконы и Шестилапые в верхнем мире тоже будут слепы. Но мы и не собираемся идти наверх, зачем нам это? Ведь не мы затеваем войну, это нам грозит правитель Изумрудного города. Что же? Пусть приходят. У нас есть чем встретить неприятеля, и тут Гаэрта прав.

Элли с ужасом осознала, что Ментахо говорит совершенную истину: верхние армии ждёт гибель, если они спустятся в этот чуждый, незнакомый для них мир...

Выступавшие далее ораторы поддержали Ментахо. Решение было такое:

«Нашествия верхних не бояться, но на всякий случай готовиться к его отражению. Фею Элли не отпускать до тех пор, пока она не расколдует Священный источник. Отговоркам Элли не верить: таинственно вступив в сообщение с верхними, она доказала, что обладает волшебной силой».

А в это время наверху подготовка к великой войне шла полным ходом.

Как только Кагги-Карр принесла Смелому Льву весть о том, что Элли в беде, по лесу тотчас понеслись вестники-зайцы, крича на всех перекрёстках, что царь Лев собирает всеобщее ополчение. Чтобы косых гонцов не съели тигры и леопарды, было объявлено Великое перемирие. Отныне хищники не смели обижать своих младших братьев, а уж если кому приходилось невтерпёж, тот мог пожевать травки или утолить голод фруктами.

Серьёзным препятствием на пути в Голубую страну являлась Большая река, на переправе через которую когда-то терпели бедствие Элли и её друзья.

Тигры, леопарды, пантеры, рыси не любили воды, да и сам Лев пускался вплавь лишь в случае крайней необходимости. Но в лесу были речки, а в речках жили бобры — великие строители плотин. В тот же вечер все бобры были мобилизованы, и из них сформировали строительный полк под командой главного инженера Острые Резцы.

Полк отправился вперёд, получив задание за один день построить наплавной мост через Большую реку. К бобрам прикомандировали батальон обезьян: шимпанзе, макак и павианов, тащивших огромные пучки лиан — связывать бревна.

Как только строители подошли к реке, закипела работа. Бобры подгрызали деревья, росшие по берегам, и сталкивали их в воду. Там они подводили одно бревно к другому, а шимпанзе и макаки скрепляли их верёвками-лианами. К назначенному сроку мост был готов, и связисты-попугаи полетели доложить об этом главнокомандующему.

В полдень начался великий выход из леса. В чинном порядке шли один за другим батальоны ягуаров, кугуаров, медведей, шли роты пум, рысей, пантер. Особая воинская часть была сформирована из обезьян-ревунов. От них не ждали непосредственного участия в битве, но их громовой рёв должен был внести смятение в ряды противника.

Обоз составляли мощные буйволы, туры и зубры: они несли на спинах связки бананов и других фруктов — продовольствие для армии, хоть и не очень прельщавшее хищников, но годное для утоления голода.

Простившись с женой и детьми, Лев отправился во главе роты тигров: это была его личная гвардия. Полководца сопровождали птицы-адъютанты и птицы-секретари. Адъютанты должны будут передавать распоряжения главнокомандующего, а секретари вести летопись похода и ведать распределением продовольствия.

Лев очень гордился тем, какой мудрый распорядок он установил в войске. Он жмурился и мурлыкал от удовольствия, как огромный кот.

В Фиолетовой стране тоже готовились к походу. У Мигунов уже был военный опыт. Они ходили против деревянной армии Урфина Джюса и разбили её. У них имелось вооружение: знаменитая пушка, треснувшая после первого же выстрела. Пушку можно было починить, был и порох, сделанный в своё время Великаном из-за гор. Кроме пушки, были топоры и железные колотушки с шипами, насаженные на длинные рукоятки.

По дорогам маршировали роты Мигунов, проходивших воинскую науку под руководством фельдмаршала Дина Гиора.

Жители Изумрудной страны совсем не отличались воинственностью, но и они собирались выступить в поход с серпами, косами, лопатами и вилами.

Сигнал к выступлению должен был подать Страшила, но он ждал подхода звериного войска.

НЕПОНЯТНОЕ ИСЧЕЗНОВЕНИЕ

Элли в отчаянии. Ультиматум Страшилы короли отвергли — значит, правитель Изумрудного города начнёт войну, погубит сотни, а может быть, тысячи жизней только для того, чтобы освободить из неволи двух ребят. Во что бы то ни стало следовало отговорить Страшилу от его неразумного решения.

Но как это сделать? О том, чтобы снова послать Тотошку, не могло быть и речи. После того как пёсик возвратился, его по приказу короля Ментахо засадили в железную клетку, возле которой всегда стоял часовой.

Ребята долго думали над создавшимся положением и наконец решили: «Нужно бежать Фреду. Тотошка в клетке, за Элли надзор необычайно усилился, но за Фредом почти не следят. Если Арриго даст ему свою одежду, Фред доберётся до Торговых ворот и уж как-нибудь сумеет выбраться из подземелья. И тогда он расскажет верхним, на какую опасность они идут».

Несколько дней прошло, прежде чем Элли удалось поговорить с Арриго наедине. После колебаний летописец согласился на дело, которое грозило ему большой опасностью, если бы тайна раскрылась.

В последние месяцы вино в Пещере стало редкостью, но у Арриго хранилась бутылка на всякий случай. Ночью летописец пришёл во дворец и угостил часового, охранявшего комнату Фреда. В вино Арриго подмешал сонный порошок.

Фред переоделся в костюм подземного жителя, который пришёлся ему впору. Арриго загримировал его. На голове у мальчика был колпак с фосфорическим шариком.

Бегство Фреда наделало большого переполоха, но осталось неразгаданным. Часовой, проспавшийся к утру, испугался жестокой кары и поклялся, что он всю ночь не смыкал глаз и не отходил от двери пленника.

Стражу у Торговых ворот Фред обманул, сказав, что послан королём Ментахо в страну Жевунов с важным поручением. Его пропустили, приняв за своего. Но когда дело дошло до допроса, сторожа тоже перепугались наказания и скрыли правду.

Исчезновение Фреда приписали чарам Элли, и страх перед ней ещё более возрос. Но и надзор за ней стал просто невыносимым. Две придворные дамы, королевские тётки, не отходили от девочки ни днём ни ночью, да ещё десяток шпионов толпились кругом.

«Пускай! — улыбалась про себя Элли. — А всё-таки Фредди наверху».

Фред покинул подземелье. Он не мог поверить себе. Как, неужели после стольких недель томительного плена он на воле, да ещё в Волшебной стране?

Над ним, как и в Пещере, раскинулся небосвод, но он не был скрыт золотистыми облаками, как внизу. Тёмно-синий купол неба уходил в неизмеримую даль, и из этой дали светили мириады ярких точек — звёзд. У Фреда закружилась голова, он еле устоял на ногах. И тотчас его властно охватили сладостные запахи и звуки незнакомого мира.

Дорога к поселениям Жевунов пролегала лесом. По бокам её росли невиданно высокие деревья с огромными бело-пурпурными цветами, испускавшими резкий аромат. С ветвей взлетали зелёные, красные, синие попугайчики, спросонья болтавшие всякую чепуху. Из глубины леса доносились непонятные шорохи и шумы.

Самый воздух, дышавший ночной свежестью, напоённый запахами цветов, опьянял путника, так долго дышавшего застойным, душным запахом Пещеры. Грудь Фреда высоко поднималась, его переполняло чувство бодрости и силы.

— Подземные жители — безумцы, раз они добровольно отказываются от прелести верхнего мира, — бормотал мальчик, шагая по дороге. — Если бы они знали, как здесь хорошо...

Наконец пришелец встретил на своём пути деревню. Фреду понравились круглые домики Жевунов под остроконечными крышами, но ему некогда было любоваться их архитектурой. Он взошёл на крылечко первого дома и забарабанил в дверь. На пороге показался заспанный хозяин и отпрянул, увидев человека в пёстрой одежде, с шариком на голове, испускавшим яркий свет.

— Кто ты такой? Что тебе нужно? — спросил перепуганный Жевун.

— Меня зовут Фред Каннинг, я только что из Подземной страны...

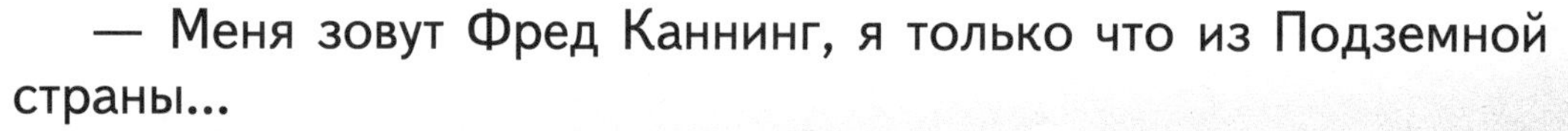

— Мы обменивались товарами с подземными рудокопами недавно, и следующий базарный день наступит не скоро.

— Речь идёт не о торговле! — возразил Фред. — Я вырвался из плена, но там ещё остаётся моя сестра Элли!..

— Ах, Элли? Фея Убивающего Домика!

Всё изменилось, когда хозяин домика понял, кто перед ним. Он принялся осыпать мальчика приветствиями, но у Фреда после возбуждения наступил упадок сил. К тому же беглец ничего не ел больше суток. Он отвечал на вопросы хозяина еле слышным голосом, а потом в изнеможении опустился на крыльцо.

Смущённый Жевун поручил жене позаботиться о госте, а сам побежал будить односельчан. Через четверть часа вокруг Фреда собралась толпа маленьких мужчин и женщин в остроконечных шляпах с бубенчиками. Подкрепившийся молоком и фруктами, Фред сказал, что ему надо быстрее добраться до Изумрудного города.

— Я должен отговорить Страшилу и Железного Дровосека от войны, которую они затевают.

Услышав страшное слово «война», мягкосердечные Жевуны залились слезами.

— Мы не умеем и не хотим воевать, — плакали они. — Мы все погибнем, если придёт война...

— Да перестаньте же! — воскликнул Фред. — Ведь я и сбежал из Пещеры как раз для того, чтобы был мир!

Жевуны успокоились и сказали, что мир — это хорошо.

— Тогда проводите меня в Изумрудный город, — попросил мальчик.

— Туда ведёт дорога, вымощенная жёлтым кирпичом, — ответили Жевуны. — И это очень далёкий путь. Не лучше ли вам отдохнуть несколько часов?

Фред почувствовал, что это в самом деле будет лучше, потому что глаза у него слипались, а ноги не шли. Хозяева уложили его в мягкую постель, и мальчик заснул глубоким сном.

ВЕСТНИК МИРА

Страшила и все остальные приняли Фреда с распростёртыми объятиями, когда узнали, кто он такой. А мальчик с великим изумлением рассматривал Страшилу и Железного Дровосека: ведь только в Волшебной стране могли существовать такие необыкновенные создания.

Ещё два месяца назад, в Айове, слушая рассказ Элли, он не мог отделаться от недоверия — и вот, пожалуйста! — он пожимает мягкую, бессильную руку Страшилы и твёрдую железную руку Дровосека. Страшила, разговаривая с ним, важно качает своей многодумной, набитой отрубями головой, а у Дровосека бьётся в железной груди тряпичное сердце... Ворона Кагги-Карр, сидящая на спинке трона, поблескивает умными чёрными глазками и очень ясно, лишь немного картавя, расспрашивает его о здоровье Элли...

Мальчишке всё казалось, что он спит и вот-вот проснётся, но это была действительность: он стоял в тронном зале дворца, построенного Гудвином и украшенного бесчисленным множеством изумрудов, и на глазах у него были зелёные очки.

Но тут Фред Каннинг вспомнил о поручении Элли.

— Вы даже не понимаете, — горячо говорил Фред, — на какую огромную опасность вы идёте! Если бы вы видели Шестилапых! Один такой зверь может растерзать двадцать человек, а их там целые сотни! А эти драконы с их огромной зубастой пастью и когтистыми лапами! Как защититься от такого чудища, когда оно со свистом слетит сверху, сверкая жёлтым брюхом! А на них всадники с копьями и луками!..

Долго и красноречиво говорил Фред и с удовольствием видел, что его слушатели начинают понимать безумие своей затеи.

— Вот если бы подземные короли вывели свою армию наверх, это было бы другое дело, — продолжал мальчик, — но ведь они этого не сделают. А внизу, в вечном полумраке, к которому не привыкли глаза верхних жителей, у обитателей Пещеры все преимущества.

— Тогда решено! — тряхнул головой Страшила. — Не быть войне!

И все остальные согласились с его решением.

— Но как выручить Элли? — грустно спросил Железный Дровосек и чуть не заплакал, но вовремя опомнился.

Тут заговорил маленький тихий Лестар, выдающийся механик из страны Мигунов.

— Насколько мне известно, подземные короли выпустили бы госпожу Элли, если бы она восстановила Священный источник? — спросил он.

— Совершенно верно, — подтвердил Фред. — Но Элли не может этого сделать, не волшебница же она, в самом деле! Да то и к лучшему, а то она ещё не так задрала бы нос!

— А тут, может быть, и не надо волшебства, — хитро улыбнулся Лестар. — Скажите, юноша, вы знаете, что такое водяной насос?

Лицо Фреда побагровело от возмущения.

— У нас на ферме каждый мальчишка пользуется им по десять раз в день, — сердито пробурчал он.

Но Лестар, не смутившись, продолжал расспрашивать:

— А там внизу, в Пещере, вы видели насосы?

Фред подумал.

— По-моему, нет. Водяные колёса у них есть. Они установлены в озере, в них засажены Шестилапые, и когда они там бегают, воду забирают черпаки, выливают в желоба, и она течёт в город.

— Так, так, великолепно! — сиял механик.

— К чему все эти расспросы, друг Лестар? — удивился Дин Гиор.

— Видите ли, — сказал старичок, — есть у меня одна мысль. Мне думается, мы сможем освободить госпожу Элли без побоища. Только для этого надо вернуть королям чудесную воду, и мы попытаемся это сделать.

Возгласы восхищения потрясли тронный зал. Все хвалили Лестара, а он скромно улыбался.

— Не надо раньше времени радоваться, — говорил мастер. — Если эта их вода ушла не слишком глубоко, мы её выкачаем. Только я должен приготовить длинные буры, чтобы просверлить скалу, и, конечно, хороший всасывающий насос.

Лестар отправился в страну Мигунов, потому что только там можно было сделать такие вещи. А Кагги-Карр полетела сообщить Льву, что война отменяется и что он должен распустить свои полчища.

СТРАННОЕ ПОСОЛЬСТВО

Стража, охранявшая Торговые ворота, услышала сильный стук. Начальник караула выглянул в окошечко. Он увидел странное зрелище. Перед воротами стояло кружком с десяток деревянных людей, и они весело молотили друг друга огромными кулачищами по спинам. Грохот мог разбудить мёртвого.

— Зачем вы это делаете? — спросил изумлённый воин.

— А чтоб вы услыхали!

— Вы могли постучать в ворота.

— Ну уж у вас и ворота, — пренебрежительно заметил деревянный человек. — Сами бы ругали нас, если бы они развалились!

— Кто вы такие и что вам здесь нужно?

— Мы — дуболомы и принесли послание от правителя Изумрудного города Страшилы Мудрого вашим королям.

Посовещавшись, воины решили, что тут, пожалуй, нет подвоха: вряд ли десять деревянных людей могут захватить целое государство. А если они пришли разведывать — пускай смотрят. Увидев Шестилапых и драконов, они, конечно, не решатся развязать войну.

Посланцев пропустили, дали им провожатого, и дуболомы дружно затопали по твёрдой дороге.

Деревянные люди были приняты в тронном зале, где собрались все короли и их министры. Привели туда и Элли. Так как в этом месяце царствовал Ментахо, то он взял письмо и начал его читать:

— «Мы, Страшила Мудрый, правитель Изумрудного города, Железный Дровосек, правитель Фиолетовой страны, и Смелый Лев, царь зверей, шлём нашим собратьям, подземным королям, сердечный привет...»

Ментахо прервал чтение и сказал:

— Мы благодарим наших верхних собратьев за привет и отвечаем им тем же. Просим это передать!

Дуболомы глупо ухмылялись.

Ментахо продолжал чтение:

— «Мы горестно поражены, что вы, владыки Подземного царства, без всякого права задерживаете у себя случайно занесённую к вам судьбой дорогую нашим сердцам фею Элли.

Но, принимая во внимание, что вами руководят важные причины, а именно желание вернуть Усыпительную воду и восстановить установленный столетиями порядок в вашей стране, мы отказываемся от намерения объявить вам войну и предлагаем решить дело миром... (Это очень благоразумное предложение, — заметил в скобках Ментахо.) Мы, жители верхнего мира, — наследники Великого Гудвина, и к нам перешли многие из его тайных знаний. Нам думается, что если Элли одна не могла расколдовать чудесный источник, то в сотрудничестве с нами это ей удастся».

Чтеца прервала буря аплодисментов. Элли стояла робкая и смущённая.

«На что они рассчитывают? — думала она. — Это огромное заблуждение со стороны Страшилы. Они ничего не сделают, и мы все здесь останемся пленниками».

Когда зал смолк, Ментахо закончил чтение письма. Его содержание успокоило Элли:

— «Но если враждебные силы окажутся более могущественными и вернуть Усыпительную воду нам не удастся, вы не будете чинить нам препятствий к возвращению наверх. Что же касается судьбы Элли, мы её тогда решим на общем Совете. Чтобы заверить вас в наших добрых чувствах, мы посылаем вам подарок. В тот час, когда вы читаете наше послание, ко входу в Пещеру подходит караван из пятисот работников, которые несут вам муку, масло, сыр, фрукты, мёд, вино...»

На этот раз гром оваций превзошёл всё, что когда-либо бывало в этом зале. Эти овации были понятны. Съестные припасы в Пещере, даже и те, что были куплены в последний раз, подошли к концу, и не только простым людям, но и королевским дворам через три-четыре дня угрожал голод.

Ментахо с чувством прочитал подписи:

— «Страшила Мудрый, Железный Дровосек, Смелый Лев. А за них по неграмотности приложил руку Фарамант».

Страж Ворот хорошо умел писать послания! У Элли на глазах блестели слёзы радости. «Как добры и великодушны мои друзья, — думала она. — И если даже им не удастся их смелое предприятие, если они не выручат меня из подземелья, я, по крайней мере, увижу их...»

Короли и вельможи окружили дуболомов, рассматривали их, щупали, хлопали по плечу, по спине.

— Да, — глубокомысленно заключил король Эльяна, — Урфин Джюс был великий волшебник. Сумел оживить таких болванов!

— Но Элли победила его, — заметил король Ментахо. — Значит, она ещё более сильная фея. Жаль только, что она из-за какого-то каприза отказывается расколдовать Священный источник!

Дуболомам была вручена подписанная семью королями охранная грамота для Страшилы, Дровосека, Льва и всех сопровождающих лиц, им обещалась безопасность во время пребывания в Пещере и беспрепятственное возвращение наверх.

А министров продовольствия уже не было в зале: они побежали собирать носильщиков, чтобы идти за грузом продуктов, щедрым даром верхнего мира.

Нет нужды говорить, что сразу же после этого собрания Тотошка получил свободу.

ЭЛЛИ ВНОВЬ ВСТРЕЧАЕТСЯ С ДРУЗЬЯМИ

Прошло дней двенадцать, и воин, прилетевший на драконе от Торговых ворот, возвестил, что правители Волшебной страны вошли в Пещеру с большой свитой.

Тотчас же по всей стране побежали и полетели гонцы с приказом:

«Всему населению принять участие в торжественной встрече высоких гостей. Все работы в поле и на заводах прекратить, кроме выплавки металла в литейных мастерских. Жителям в праздничных одеждах собираться у дороги, ведущей к городу от Торговых ворот. Шестилапых загнать в стойла и крепко привязать, чтобы какой-нибудь из них не вырвался и не наделал переполоха. Стражам на драконах описывать над процессией круги почета, но не спускаться слишком низко».

Повсюду начался весёлый гомон. Люди надевали лучшие одежды и самые чистые колпаки и радостно спешили встречать великодушных пришельцев из верхнего мира.

Город Семи владык опустел. Там остались только калеки да дряхлые старики. Короли, министры, придворные в пышных одеяниях всех цветов радуги шли навстречу гостям стройной колонной под звуки оркестра и гром барабанов. Во главе этой колонны была Элли с Тотошкой на руках. Тысячи зрителей растянулись на целые мили по обеим сторонам дороги. Они махали руками, шапками, весело выкрикивали слова приветствий...

И вот показались гости. Впереди шагали в ногу шесть дуболомов (осталась солдатская выправка!). Первый из них держал букет цветов. Затем четверо несли носилки, на которых важно восседал Страшила, благосклонно кланяясь направо и налево. За носилками следовали тридцать красивых юношей и девушек, учащихся танцевальной школы, с огромными букетами цветов в руках. Ими распоряжался учитель танцев Лан Пирот, бывший генерал. Он принимал невыразимо изящные позы и время от времени пританцовывал, к большому восторгу зрителей.

Далее величаво шествовал Лев с Фредом Каннингом на спине. Мальчишка был необычайно горд и ни за какие блага на свете не уступил бы своего места. Кому из его знакомых ребят приходилось участвовать в такой удивительной процессии и ехать на Льве? Вот будет рассказов в Айове! И, наверное, ему тоже не будут верить, как он не верил Элли.

Железный Дровосек, заново отполированный и смазанный, с блестящей золотой маслёнкой у пояса, нёс на плече блестящий золотой топор. На голове Дровосека сидела ворона Кагги-Карр в кра-

сивых золотых браслетиках на лапках. Одним словом, каждый из наших героев, отправляясь в подземный мир, принарядился как мог.

Далее, держась за руки, шли в ряд Дин Гиор, Фарамант и Лестар. Борода Дина Гиора, заплетённая в пряди и спускавшаяся до самой земли, произвела на обитателей Пещеры огромное впечатление.

Несколько десятков Жевунов несли новые подарки: тюки с одеждой и обувью, корзины с игрушками, катили детские коляски. Их голубые остроконечные шляпы равномерно покачивались в такт ходьбе, и подвешенные под ними бубенчики мелодично звенели.

Шествие замыкали дуболомы, нагруженные рычагами, колёсами, свёрлами, трубами... За порядком среди них следили мастера из Фиолетовой страны.

Всё это шествие произвело неизгладимое впечатление на жителей Пещеры: это было какое-то светлое, сияющее видение из верхнего мира, точно захватившее с собой в подземелье блеск солнечных лучей, прозрачность воздуха, голубизну неба...

Когда две торжественные процессии встретились и высокий величественный король Ментахо поднял руку и приготовился произнести торжественную речь, Элли нарушила весь церемониал. Завизжав от восторга, она выбежала из рядов и сломя голову бросилась к носилкам Страшилы. Дуболомы вмиг образовали лестницу, и девочка оказалась в объятиях своего доброго старого друга. Она гладила его милое разрисованное лицо, целовала его в щёки, а Страшила в восторге восклицал:

— Эй-гей-гей-го! Я снова-снова-снова с Элли! Эй-гей-гей-гей-го!..

Впрочем, он скоро опомнился и боязливо закрыл рот рукой: не полагалось знатной особе вести себя так легкомысленно.

А тут к носилкам подоспели Железный Дровосек, Фред Каннинг, Смелый Лев, Дин Гиор, Фарамант... Началась весёлая суматоха. Элли и Тотошка переходили из рук в руки, и король Ментахо с горечью понял, что ему не придётся блеснуть ораторским искусством. Он наскоро сказал несколько любезных фраз и получил ответные приветствия Страшилы, Дровосека и Льва — правящих особ своей страны.

Потом все смешались и весёлой гурьбой повалили в Город Семи владык.

Элли ехала на спине Льва, а рядом с ней шёл Фред и рассказывал о своих приключениях с того момента, когда он ночью, переодетый, вышел из сонного дворца.

Но его поминутно перебивал Дровосек, предлагавший Элли послушать, как сильно и радостно бьётся его сердце с того момента, как он её увидел.

По временам и Лев поворачивал голову и вставлял несколько словечек о том, как он собрал, а потом распустил могучее войско, а Кагги-Карр ссорилась с Тотошкой из-за того, кому сидеть на руках у Элли, и была страшная суматоха, и все были очень довольны...

МЕХАНИЧЕСКОЕ ВОЛШЕБСТВО

В честь знатных гостей семь подземных владык задали великолепный пир. На пиру был показан балет: юноши и девушки из танцевальной академии Лана Пирота проявили чудеса искусства и заслужили всеобщее одобрение. Кстати сказать, юных артистов на другой же день отправили домой: пребывание в Пещере могло подорвать их неокрепшее здоровье. С ними ушли и Жевуны, которые принесли подарки подземным жителям. Маленькие человечки всего одни сутки пробыли в Пещере, но на всю жизнь остался в их душе страх перед мрачными и величественными её чудесами.

И хозяева, и гости после пира спали очень долго, конечно, за исключением Железного Дровосека и Страшилы: те никогда не спали.

Только Лестар встал рано и принялся за дело. Ещё накануне он познакомился с Хранителем времени Ружеро и долго с ним разговаривал.

Лестар и Ружеро понравились друг другу, и между ними сразу возникла приязнь. Наутро после пира Лестар разыскал Ружеро и попросил проводить его в Священную пещеру. Два новых друга шли и беседовали, а за ними дуболомы под присмотром мастеров тащили трубы, рычаги и блоки.

Из беседы Лестар понял, что Хранитель времени не очень верит в то, что Усыпительную воду можно вернуть колдовством. Мастер видел, как Ружеро хитро поглядывал на всю сложную механику, которую несли деревянные люди, и, усмехаясь, приговаривал:

— Да, конечно, с такими приспособлениями дело пойдёт лучше, и подземный дух, пожалуй, отступит. А то у бедняжки Элли были одни заклинания. А что такое заклинания? Слова.

— Почтенный Ружеро, я вижу, вы проницательный человек, — сказал Лестар. — Но, я думаю, не стоит внушать подобные мысли семи королям.

— Я и сам так думаю, почтенный Лестар, — согласился Хранитель времени. — Ведь не всё то, что говорится между друзьями, годится для ушей их величеств.

Старики, довольные друг другом, продолжали путь.

В Священной пещере Лестар занялся серьёзными исследованиями. Приказав дуболомам соблюдать тишину, он прикладывал ухо к земле в разных местах, стараясь расслышать шум подземных вод. Он держал над щелями в скале зеркальце, чтобы уловить на нём следы испарений.

Долго продолжалась его работа, а в это время Ружеро сидел на камне и отдыхал от долгого пути. Потом Лестар подошёл к нему.

— Ну как, дорогой друг? — спросил Ружеро.

— Надежда есть, но колдовство будет долгое и трудное, — осторожно ответил мастер.

Для начала дуболомы под руководством Лестара и других Мигунов разровняли площадку близ бассейна и установили основание для бурильного аппарата. В их сильных руках работа так и кипела, они без натуги ворочали огромные камни.

— Хорошее наследство осталось вам после Урфина Джюса, — смеясь, сказал Ружеро.

— Да, жаловаться не приходится, — согласился Лестар. — Но заметьте: они стали послушными работниками лишь после того, как им вырезали новые лица. А это было сделано по замыслу Страшилы.

Компания вернулась в город только к вечеру. А там уже затевался новый пир. Это Страшила по правилам дипломатического этикета готовил королям ответное угощение из продуктов, которые принесли с собой его люди.

Прошло несколько дней. Между Городом Семи владык и Священной пещерой установилось постоянное сообщение. Дуболомы, Мигуны и подземные металлисты постоянно сновали туда и сюда, перенося части машин и необходимые материалы. Но королям, придворным и шпионам вход в Священную пещеру был запрещён.

По настоянию Лестара Элли сказала семи королям, что там обитает страшный дух по имени Великий Механик и победить этого духа можно только механическим волшебством. А при механическом волшебстве посторонним присутствовать крайне опасно, это может повлиять на рассудок.

Зато присутствие Элли при подготовке механического волшебства было объявлено обязательным, и она проводила там целые дни. Священную пещеру нельзя было осквернять отправлением обычных житейских потребностей — едой и сном, и потому лагерь для работников устроили в одной из соседних пещер. Туда принесли постели и устроили очаг для приготовления пищи.

Но для Элли как для феи было сделано исключение. Дуболомы построили для неё в Священной пещере лёгкий уютный домик, где было всё необходимое: кровать, обеденный столик, шкафчик для платьев (Страшила привёз ей целую дюжину!) и всё прочее. Там Элли, утомившись от шума работ, проводила с Тотошкой часы отдыха.

А работы шли полным ходом. Жужжали буравы, вгрызаясь в плотную породу. Мастера Мигуны свинчивали трубы для насосов и пригоняли клапаны. Любопытный Фред был повсюду: то он передавал какое-нибудь приказание Лестара, то тащил слесарю нужную деталь, то присматривался к работе бурильщиков. Мальчишка был на верху блаженства: мог ли он раньше думать, что ему доведётся испытывать такие необыкновенные приключения?..

Но Страшила, Железный Дровосек и Лев не показывались в лабиринте: сырой климат Пещеры оказался вреден для них.

После нескольких дней пребывания в подземелье Страшила почувствовал себя очень плохо. Двигался он с трудом, потому что солома отяжелела от сырости, а просушиться было негде. В Пещере готовили на маленьких печурках, откуда огонь не мог пробраться наружу и обеспокоить слабые глаза подземных жителей. Печурки совсем не грели окружающий воздух.

Ещё хуже обстояло дело с удивительными мозгами Страшилы. Отруби, которыми была набита его голова, тоже отсырели, а примешанные к ним иголки и булавки заржавели. От этого Страшилу мучили головные боли, и он начал забывать самые простые слова.

И даже черты лица Страшилы стали изменяться, потому что акварельные краски, которыми оно было раскрашено, растворялись и подтекали.

Обеспокоенный Фарамант вызвал к правителю врача. Пришёл Бориль, потомок того самого Бориля, при котором произошло Первое Усыпление. Кругленький и самодовольный, как его прапрадед, доктор осмотрел знатного пациента.

— Гм, гм, плохо, — пробурчал он. — У вашего превосходительства начинается весьма опасная болезнь — водянка. Лучшее лечение — солнечное тепло и свет.

— Я не могу ославить... то есть оставить здесь Элли, — глухо проговорил Страшила.

— Тогда... — Врач подумал. — Тогда для вашего превосходительства лечебницей могла бы послужить литейная мастерская. Я полагаю, что в её теплом сухом воздухе вы поправитесь.

Страшилу отнесли в мастерскую и устроили в укромном уголке, где он никому не мешал и где его не беспокоили рабочие. Находившийся при правителе в роли сиделки Фарамант убедился, что ни одна искра из печи не может попасть на Страшилу. Случись такое, больной вместо излечения нашёл бы гибель.

В сухом и жарком заводском воздухе от Страшилы первые дни валил густой пар, а затем его здоровье начало поправляться удивительно быстро. Руки и ноги его наливались силой, а в мозгах появилась ясность.

Худо было и с Дровосеком. Сырость пронизывала его железные суставы, и они начали ржаветь. И эта ржавчина Пещеры была какая-то особенно въедливая, от неё не спасала даже усиленная смазка. Скоро золотая маслёнка Дровосека опустела, и при движениях все его члены скрипели. Челюсти не двигались, бедняга тщетно пытался открыть рот: он онемел. Дровосек превратился в инвалида.

Дин Гиор пригласил к нему доктора Робиля. Врач сказал:

— Чтобы его сиятельство (а может быть, стоит сказать: его бывшее сиятельство?) не развалился в самые ближайшие дни, надо его поместить в бочку с маслом. Это для него единственное спасение.

К счастью, в последнем транспорте провизии оказалось достаточно растительного масла, и Железного Дровосека погрузили туда так, что над поверхностью виднелась только воронка, заменявшая ему шапку.

А чтобы Дровосек не скучал, рядом с ним на стуле сидел Длиннобородый Солдат и рассказывал ему разные занимательные истории из своего прошлого, когда он ещё служил привратником у Гудвина.

Для прогулки Дровосек иногда вылезал из бочки на часок-другой и отправлялся проведать Страшилу или Льва. Могучему Льву, свободному сыну лесов, в Пещере тоже пришлось плохо: царь зверей заболел бронхитом. Бориль прописал ему порошки, и скоро вся аптека была опустошена: легко себе представить, какие дозы лекарства требуются Льву! А когда Лев съел все порошки, он принялся за бумажки, в которые они были завёрнуты.

Итак, с друзьями Элли не всё было благополучно, и это заставляло Лестара торопиться изо всех сил с подготовкой механического волшебства.

ДЛЯ ЧЕГО МОГУТ ПРИГОДИТЬСЯ БРИЛЛИАНТЫ

Не только правителям Волшебной страны и царю зверей приходилось плохо в Пещере. Пришедшие с ними тоже переживали трудные дни. Вечный сумрак подземелья, осенние краски природы, влажная атмосфера и на людей действовали угнетающе. Ими овладела тоска по родине, по голубому небу и сверкающему солнцу, по весёлому пению птиц на ветках деревьев, по шелесту ветра в рощах.

И даже дуболомы, эти сильные и выносливые деревянные создания, чувствовали, что их руки и ноги, разбухающие от сырости, уже не так хорошо повинуются им, как прежде.

Лестар ускорял работу. В краткие часы отдыха главного мастера его заменяли помощники, и по-прежнему визжали буры и скрипели блоки, стучали молотки. Чудесная вода, как видно, ушла значительно глубже, чем предполагал главный мастер, но вот наконец почувствовалось её присутствие в недрах земли. Затупленные буры, которые нужно было заменять новыми, появлялись из глубины влажными. Лестар строго наказал людям не касаться этой воды, но однажды, когда они вернулись в Священную пещеру после обеденного перерыва, то увидели возле недавно вынутого бура десятка два мышей. Мыши лежали кверху лапками и спали волшебным сном! Они слизали с бура капельки Усыпительной воды.

Мыши проспали несколько часов, и предосторожности при работе удвоились.

И вот пришёл счастливый момент, когда чудесная вода мощной струёй хлынула в заранее приготовленный бассейн. Лестар и его помощники, Элли, Фред Каннинг собрались вокруг и с почтительным любопытством долго смотрели, как, бурля и сверкая синеватым светом и выпуская из себя шипящие пузырьки, льётся Усыпительная вода.

Потом каждый занялся своим делом. Элли сидела возле домика и играла одним из бриллиантов. Эти переливающиеся всеми цветами радуги камешки, которые они с Фредом добыли в одном из гротов, ужасно нравились девочке. Она любовалась блеском алмаза, то приближала его к глазам, то отдаляла, подбрасывала на ладони... Увлечённая этим нехитрым занятием, Элли не замечала, что

делается в Пещере, как вдруг Тотошка, лежавший у неё на коленях, потянулся, широко зевнул и... уснул.

Удивлённая Элли осмотрелась. То, что она увидела, поразило её. Фред Каннинг спал в самой неудобной позе среди камней. Лестар и его помощники, охваченные неодолимой сонливостью, опускались на пол пещеры, кто где стоял.

В мгновение ока Элли поняла: «Опасность! Чудесная вода усыпляет своими испарениями!»

Она подбежала к глупо ухмылявшимся дуболомам, молча глазевшим на происходившее, и приказала:

— Скорей! Скорей! Берите людей и уносите отсюда!

Всех спящих немедленно перенесли в комнату отдыха и уложили на постели. Элли в смертельной тревоге села возле Фреда и сидела до тех пор, пока её самоё не сморил сон, к счастью, обыкновенный.

Спящие проспали целые сутки и очнулись невинными младенцами. Элли растерялась:

— Что с ними делать?

Потом девочка послала деревянного бригадира Арума в Пещеру за Дином Гиором и Фарамантом, приказав ему вызвать их по секрету и никому ничего не говорить.

А сама она занялась Фредом: накормила его с ложечки кашкой и стала учить разговаривать. Должно быть, пары волшебной воды не успели сильно подействовать на мозги Фреда, потому что через час он уже улыбнулся и сказал «мама», а потом стащил с тумбочки бриллиант и засунул в рот.

— Но-но, ещё подавишься! — прикрикнула Элли и отобрала опасную игрушку.

Через несколько часов пришли встревоженные неожиданным вызовом Фарамант и Дин Гиор. Услышав рассказ девочки о случившемся, её друзья не могли понять, почему все заснули, а Элли нет. Фарамант начал придирчиво расспрашивать Элли, что она делала в то время, как остальные работали. И когда наконец выяснилось, что девочка играла с алмазом, Страж Ворот облегчённо вздохнул и сказал:

— Ну, алмаз и оказался тем талисманом, который уберёг тебя.

— А что такое талисман? — спросила Элли.

— Это вещь, предохраняющая человека от беды, — разъяснил Фарамант.

И все трое порадовались тому, что девочке именно в это время вздумалось заняться бриллиантом. Что, если бы она заснула вместе с прочими? Все они могли лежать в очарованном сне очень долго, прежде чем бестолковые дуболомы догадались бы что-нибудь предпринять.

Фарамант и Дин Гиор занялись воспитанием Лестара и прочих Мигунов, а Элли проводила время около Фреда и Тотошки.

От семи королей происшествие удалось скрыть. Когда Лестар пришёл в себя, он послал дуболомов выпустить чудесную воду из бассейна через специальный кран. А потом отправился с докладом к Страшиле.

В сухом воздухе литейной правитель Изумрудного города чувствовал себя превосходно, и в его голове копошились гениальные мысли. Об иных он даже никому не говорил, потому что один только мог их понять. Во время доклада Лестара Страшиле в его мудрую голову пришла такая идея, что он подпрыгнул от восторга и приказал мастеру немедленно призвать к нему Хранителя времени Ружеро.

Приветствовав Ружеро, Страшила спросил его:

— Скажите, друг, так ли уж сильно нужны вам семь королей и весь этот сброд, который около них собрался и который вам приходится кормить?

Ружеро, подумав, ответил:

— По правде говоря, особой нужды в них нет. Но народ привык... И потом, каждый король и вся его свита спали шесть месяцев из семи.

— А в седьмой пировали за счёт простых людей!

— Это правда, — смущённо согласился Ружеро.

— Так почему бы вам не усыпить всю эту компанию целиком? — спросил Страшила.

— Всех семи королей?! — воскликнул Ружеро. — Это великая мысль! Но... но вот беда: ведь они догадаются, что тут скрыт злой умысел, и не согласятся.

— А если усыпить их так, чтобы они об этом не подозревали?

— Это трудно, — сказал Ружеро. — Сейчас царствует Ментахо, он очень умён и проницателен.

— Мы усыпим и его, и ум ему не поможет. Лестар, дружок, расскажи, что случилось с вами в пещере.

Услышав рассказ о том, как люди уснули от испарений чудесной воды, Ружеро воскликнул:

— Это совершенно меняет дело! Мы соберём туда всю эту ораву, и пусть их незаметно одолеет волшебный сон. Но вот ещё трудность: ведь мы, устроители этого дела, тоже заснём вместе с ними. А если мы не явимся, это будет выглядеть подозрительно.

— Не беспокойтесь, — сказал Лестар. — У нас есть на этот случай талисманы. — И он поведал Хранителю времени о действии алмазов.

Ружеро пришёл в восторг.

— Итак, решено! Мы усыпим всех этих дармоедов, и страна вздохнёт свободно.

— А потом? — спросил Страшила.

— Что — потом?

— Когда они проснутся?

— Если они останутся близ источника, они не проснутся, — возразил Ружеро.

— Но позвольте, мой друг, — веско молвил Страшила, — это же будет самое настоящее убийство!

— Простите, ваше превосходительство, я об этом не подумал. Придётся перенести их в Радужный дворец, и пусть спят в своих кладовых.

— А потом? — снова настойчиво спросил Страшила.

— Что — потом? — раздражённо откликнулся Ружеро.

— Да ведь когда-нибудь они же проснутся!

— А мы им снова дадим воды, — неуверенно сказал Хранитель времени.

— Так уж лучше оставьте их умирать в Священной пещере, — насмешливо воскликнул Страшила. — Это будет скорее, и вам меньше хлопот.

— Ваше превосходительство, объяснитесь, я вас не понимаю, — взмолился Ружеро. — Ваши мысли слишком глубоки для меня, ведь недаром жители Изумрудного города назвали вас Трижды Премудрым!

— А вы об этом слыхали? — благосклонно улыбнулся Страшила. — Хорошо, я вам объясню свою идею. После волшебного сна люди просыпаются, подобные новорождённым младенцам, не так ли?

— Да!

— Их снова воспитывают в течение нескольких дней и напоминают всё, что они знали, но позабыли?

— Да!

— Так кто же вам мешает внушить тому же королю Ментахо, когда он проснётся, что до своего очарованного сна он был не королём, а кузнецом или пахарем, и научить его основам нового ремесла?

Если бы молния ударила у ног Ружеро, он не был бы так поражён. На лице Хранителя времени появилась сияющая улыбка.

— Ваше превосходительство, вы — самый великий мудрец в мире! — воскликнул он.

— Ну, это давно всем известно, — скромно ответил Страшила.

СЕМЬ ХИТРЫХ ЗАМЫСЛОВ

Радость Ружеро длилась недолго. Один из придворных передал Хранителю времени, что его желает видеть король Ментахо. Ружеро явился в назначенный час. Король провёл его в маленькую комнату, плотно притворил дверь. По этим предосторожностям Ружеро понял, что разговор будет секретный.

Ментахо усадил посетителя в мягкое кресло, сам поместился напротив.

— Как вы поживаете, дорогой друг мой? — любезно начал король. — Кажется, у вас сейчас много хлопот?

— Очень много, — подтвердил Ружеро.

— Вы должны беречь своё драгоценное здоровье и часть ваших забот возложить на других, — продолжал Ментахо необычайно ласковым тоном.

Это заставило Хранителя времени насторожиться. Никогда ещё Ментахо так с ним не разговаривал.

«Осторожно, Ружеро, — сказал сам себе старик. — Король хочет добиться от тебя чего-то очень важного».

— Да, кстати, — как бы вскользь бросил Ментахо, — я слыхал, что расколдование Священного источника подходит к концу?

— Вы не ошибаетесь, Ваше Величество!

— И вот в связи с этим мне пришла в голову одна забавная мысль, — нервно захихикал Ментахо. — Не знаю, одобрите ли вы её, мой дорогой друг?

— Говорите, Ваше Величество!

— Первая очередь спать — моя, — продолжал король, — но, по правде говоря, за последние месяцы я убедился, что волшебный сон не такая уж хорошая вещь и что жизнь гораздо интереснее, особенно когда ты — король!

— Тогда оставайтесь королём, — сдержанно молвил Ружеро.

— Да, но король царствующий и король, ждущий своей очереди царствовать, — это же совсем разное!

— Я не понимаю вашей мысли, объяснитесь прямее.

И Ментахо заговорил напрямик:

— Я устрою пир для своих собратьев и их придворных. В вино, которое будет им подаваться, мы добавим Усыпительной воды (желательно побольше!), и пусть вся эта компания заснёт очарованным сном!

Заметив удивление собеседника, король сухо спросил:

— Вам не нравится мой замысел? Быть может, вы думаете, что кто-нибудь другой из королей способен управлять государством лучше меня?

Ружеро подумал: «Если я не соглашусь, Ментахо найдёт себе других помощников, и нам всем будет грозить опасность».

И он выразил полное согласие с планом короля. Тот расцвёл и начал обещать Ружеро всякие блага:

— Вы станете первым в стране после меня, я построю вам дом не хуже Радужного дворца!..

— Я не нуждаюсь в наградах, Ваше Величество, — сказал Ружеро. — Положитесь на меня, всё будет сделано.

— Но никому ни слова, а особенно Элли и всем прочим верхним!

— Полная тайна! — заверил Ружеро. — Но вы сами ничего не предпринимайте, этим можно испортить дело. Когда наступит время действовать, вы будете предупреждены.

Он распрощался с королём Ментахо, а на следующий день его пригласил к себе король Барбедо.

Толстый лысый Барбедо совсем не походил на статного Ментахо с красивым лицом и благосклонной улыбкой. Но когда он провёл Хранителя времени в свой кабинет и тщательно затворил дверь, что-то в повадках Барбедо было очень похоже на Ментахо. И это сразу бросилось в глаза проницательному Ружеро.

«Ну, тут дело тоже нечисто...» — подумал он.

Король начал разговор издалека, но Ружеро понял его сразу. И он ничуть не удивился, когда Барбедо после долгих подходов предложил ему усыпить всех его соперников, чтобы он, Барбедо, мог царствовать один столько времени, сколько отведёт ему судьба, а потом пусть на престол вступит его старший сын. А те, прочие? Ну, пусть себе спят с миром, ведь во сне у них не будет ни забот, ни тревог...

— Согласитесь, дорогой друг, — сладко пел Барбедо, — что для нашей страны вечная смена королей — сущее несчастье. От этого так страдает наш добрый народ... (Толстяк даже пустил слезу.) И, конечно, тот, кому первому пришла в голову счастливая мысль покончить со всей этой неурядицей, и заслуживает права воспользоваться её плодами... («Если бы ты был первый!» — насмешливо подумал Ружеро.) А вас, мой дорогой Хранитель, я осыплю алмазами и изумрудами, вы станете первым богачом в стране.

Конечно, и ему Ружеро дал согласие привести в исполнение его коварный замысел и просил ничего не предпринимать без его ведома.

Возвращаясь к себе, Ружеро думал:

«Интересно, что будет дальше? Всего два хитреца нашлись среди подземных владык? Кончится ли этим дело?»

Увы, дело не кончилось. Хранителя времени вызывали к себе и вели с ним тайные разговоры короли Эльяна, Карото, Ламенте... Даже дряхлый Арбусто и тот додумался устранить своих соперников и царствовать единолично.

— Мне недолго осталось жить, — шамкал девяностолетний Арбусто, — и я не могу тратить время на сон. Пусть хоть два-три года, но я должен один побыть властителем нашей страны...

А шестнадцатилетний Бубала повторял слова своего наставника:

— Я моложе всех, значит, буду править государством очень долго и за своё царствование совершу много славных дел.

Даже вдовствующая королева Раффида, мать грудного младенца Тевальто, и та явилась к Ружеро хлопотать в пользу своего сына (это, между прочим, доказывает, что в изобретении разных хитростей женский ум не уступает мужскому).

Всем хитрецам Ружеро обещал помощь, и все они оставались очень довольны разговором с ним, все обещали ему всевозможные блага.

Понятно, Страшила и Элли узнали об этих коварных замыслах. Дровосеку, сидевшему в бочке с маслом, было не до того, чтобы разрушать чужие заговоры, а больному Льву опротивела жизнь, хотя он из любви к Элли не уходил наверх.

Ружеро поспешил к правителю Изумрудного города сразу же после свидания с королём Ментахо. Страшила одобрил его притворное согласие и советовал тянуть время, пока не будут совершенно закончены работы в Священной пещере. Второй визит Ружеро меньше удивил соломенного мудреца, а потом он уж и удивляться перестал.

— Все короли — и под землёй, и наверху — одинаково коварные и жестокие люди, — говорил Страшила. — Вы только подумайте: всем им, начиная от молокососа Бубалы до старого-престарого Арбусто, всем пришла в голову одна и та же мысль — отделаться от своих родичей-соперников, чтобы целиком захватить власть. И вы знаете, почтенный Ружеро, я ничуть не сомневаюсь, что каждый из них уморил бы свою родню в очарованном сне.

— Я в этом вполне уверен, — подтвердил Ружеро.

— Но почему у них у всех такие сходные желания? — продолжал Страшила. — Да просто их ослепляет величие королевской власти, которую они не хотят делить с другими. Я очень рад, что мне пришла в голову мысль перевоспитать их. И я уверен, что, когда это будет сделано, они окажутся неплохими людьми...

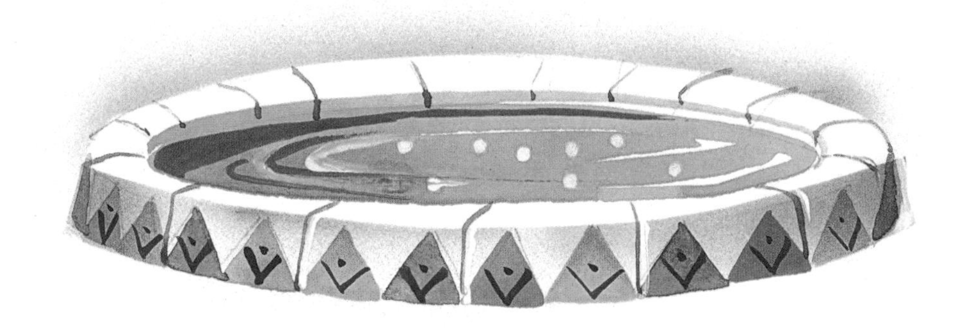

ВЕЛИКОЕ УСЫПЛЕНИЕ

По Пещере разнеслась весть: колдовство Элли и её друзей подходит к концу и скоро Великий Механик будет побеждён. Это сообщение вызвало среди королей ликование: ведь каждый из них рассчитывал отделаться от соперников и стать единовластным правителем.

Вскоре был назначен день и час совершения чуда. Распорядители торжества — Хранитель времени Ружеро и летописец Арриго — объявили, что при этом могут присутствовать все желающие, но только из числа тех, кто когда-либо подвергался усыплению. За исполнением этого требования приказывалось строго следить, так как его нарушение могло привести к провалу всего дела.

Было также объявлено, что опоздавшие не будут допускаться в Священную пещеру. Понятно, что после такого предупреждения задолго до начала все любопытные были на месте. Пришли короли с жёнами и детьми, министры и советники, главноуправляющие и просто управляющие, лакеи всех рангов, королевские стражи и шпионы...

Дуболомы построили вокруг бассейна каменные скамьи, расположив их обширным амфитеатром. В первом почётном ряду расположились короли с семьями, далее сидели министры, советники. Публика попроще стояла сзади на ногах.

Сотни фосфорических светильников на головных уборах приглашённых освещали пещеру мягким светом без теней: всё было видно даже в дальних углах.

У самого края бассейна возвышалась трибуна для ораторов.

Никогда ещё недра земли не таили в себе такого внушительного зрелища. Королевские дворы разместились по секторам, как это было в обычае на Большом Совете. И казалось, сама семицветная сияющая радуга чистейших красок спустилась с неба и заиграла всеми своими оттенками...

Вокруг бассейна на равных расстояниях стояли дуболомы, заново окрашенные ради праздника.

На трибуну поднялась Элли с беленькой палочкой в руках. На этот раз с ней не было Тотошки: пёсика оставили в комнате отдыха под присмотром одного из Мигунов.

Позади Элли стояли Фред Каннинг, мастер Лестар, летописец Арриго и Хранитель времени Ружеро. Все они, как и Элли, что-то сжимали в кулаках. Элли заговорила звонким ясным голосом, хорошо слышным по всей пещере:

— Ваши Величества и вы, граждане Подземной страны! Чтобы вернуть исчезнувшую Усыпительную воду, нам пришлось проделать долгую, трудную и опасную работу... Да, опасную, потому что при малейшей нашей оплошности Дух пещеры, уже раздражённый опрометчивым поступком Руфа Билана, мог жестоко расправиться с нами. — Среди слушателей прокатился шепоток страха. — Но мы действовали благоразумно и по системе...

Что такое система, никто из присутствующих не знал. Не знала и сама Элли. Это Лестар научил девочку сказать такое слово, и оно вызвало большое уважение к оратору.

Элли продолжала:

— И сейчас мы уверены в успехе. — Она взмахнула палочкой и начала говорить заклинание: — Баррамба́, маррамба́, та́рики, ва́рики, купоро́с, шафоро́с, ба́рики, ша́рики! Грозный дух, Великий Механик, удались в самые глубокие недра земли и отдай нам своё сокровище — Усыпительную воду!

Элли трижды топнула ногой о пол, и после третьего удара где-то в глубине послышался глухой шум и рёв (этот театральный эффект был искусно подготовлен Лестаром).

Побледневшие от ужаса зрители чуть не попадали в обморок, но в этот момент из большой трубы хлынула в бассейн ослепительная струя воды!

Дикий многоголосый вопль огласил пещеру.

— Она! Это она! — кричали обезумевшие от радости люди. — Я узнаю её по синеватому блеску! А я по шипению вылетающих из неё пузырьков! А я по запаху!..

Когда волнение успокоилось, на трибуну вышел Ружеро. Речь его продолжалась около получаса. Он рассказал древнюю историю о том, как впервые была обнаружена чудесная вода, как Хранитель времени Беллино придумал усыплять королей на время их междуцарствования и как этот порядок мирно длился в течение столетий. Речь была порядком скучная, и некоторые слушатели начали всхрапывать. Но конец речи заставил их встрепенуться. Ружеро сказал:

— Раньше Усыпительная вода появлялась из недр земли только раз в месяц и скоро уходила обратно: такова была воля Великого Механика. Но волшебное искусство феи Элли и её друзей оказалось сильнее: теперь чудесный напиток в нашем распоряжении круглый год, и мы сможем усыплять желающих в любое время и на любой срок!

Каждый из королей подумал, что этот намёк обращён к нему, говорит о скором выполнении его коварного замысла, и все они приосанились.

Ружеро спустился с трибуны, по-прежнему зажимая в руке какой-то маленький предмет. Хранителя времени сменил следующий оратор, король Ментахо. Слушатели приуныли: Ментахо страшно любил поговорить.

И действительно, он начал издалека. Отдавая дань уважения высоким гостям, король стал рассказывать историю Страшилы, которую слышал от него самого, потом перешёл к истории Железного Дровосека и уже собрался говорить о Льве, как вдруг стал зевать. Он успел шагнуть на своё место и тут же заснул волшебным сном. И почти в одно и то же время заснули все присутствующие в пещере, все, кроме Элли, Фреда, Лестара, Ружеро и Арриго. Они зажимали в кулаках бриллианты, и это спасло их от испарений Усыпительной воды. И конечно, не заснули дуболомы: они глупо таращили свои пуговичные глаза, не понимая, что происходит.

Так шесть королей и королева попали в ловушку, которую расставляли друг другу.

Зрители, сидевшие на скамейках в амфитеатре, уснули с удобством: они склонились друг к другу на плечо или на грудь. Зато лакеи, солдаты, шпионы, стоявшие позади, попадали кто куда попало, и там картина напоминала поле битвы, усеянное телами бойцов.

Элли и прочие с бриллиантами в кулаках поспешили оставить Священную пещеру. Бриллианты бриллиантами, но все пятеро уже начали чувствовать какую-то истому, предшествующую сну. Однако на воле всё сразу прошло.

В Пещере остались дуболомы, которым Усыпительная вода была нипочём. Их бригадиры Арум и Бефар получили приказ заняться переноской уснувших в Радужный дворец.

По мысли Страшилы и Лестара, спящих надо было уносить не сразу, а небольшими партиями через сутки одну после другой.

Тогда они и просыпаться станут партиями, через неделю-две, и воспитатели успеют с ними управляться.

Так в Стране Подземных рудокопов совершился самый большой переворот в её истории.

ПЕРЕВОСПИТАНИЕ

В стране Жевунов, неподалёку от входа в Пещеру, на чудесной лужайке у серебристого ручья стояло несколько шатров. В них жили Элли и её друзья, возвратившиеся из подземелья.

Впрочем, в шатрах они проводили только ночное время, а днём нежились на мягкой травке под сенью фруктовых деревьев.

— В литейной мастерской хорошо, тепло и сухо, — разглагольствовал Страшила, подставляя солнышку соломенные бока, — а всё-таки на родине лучше. Ведь та ферма, где меня сделали, недалеко отсюда. Не так уж давно это было, а мне кажется, что с тех пор прошли целые века.

— Здесь почти так же хорошо, как в моём родном лесу, — говорил Лев, сразу исцелившийся наверху от бронхита, — но всё же тут чего-то недостаёт...

— Знаю, чего тебе недостаёт, — смеялась Элли, играя его жесткими усами и дуя ему в нос, отчего Лев жмурился и чихал. — О царских почестях соскучился, честолюбец!

Фред Каннинг помогал Мигунам ремонтировать Железного Дровосека. После долгого сидения в бочке тот весь пропитался маслом, масло загустело, и подвижность членов пропала. Лестар и его помощники разобрали своего правителя по винтикам, всё протерли, прочистили, разложили проветрить и поставили Фреда караулить, чтобы какая-нибудь бойкая сорока не утащила важную деталь.

Тотошка бегал по берегу ручья и лаял на светлых рыбок, резвившихся в воде.

С друзьями не было только Кагги-Карр, Фараманта и Дина Гиора. Ворона полетела в Изумрудный город возвестить жителям, что их обожаемый правитель скоро вернётся после новых славных подвигов, совершённых им в подземном мире. А следом за ней отправились Длиннобородый Солдат и Страж Ворот, чтобы подготовить торжественную встречу.

Все чувствовали себя легко и привольно. Понятно: после того как уснули семь королей и их приспешники, гости из верхнего мира покинули Пещеру, уводя с собой Элли. При этом они даже не ссылались на охранную грамоту, в этом не было нужды.

Как-то без всяких выборов получилось, что подземные жители признали Хранителя времени Ружеро своим правителем, а его ближайшим помощником стал Арриго. Оба, не теряя времени, собрали народ и объяснили им, какая судьба ждёт королей, их придворных и слуг. Люди пришли в восторг, когда узнали, что эта замечательная идея принадлежит Страшиле, и провозгласили ему славу.

Все дали обещание, что не будут ничего говорить проснувшимся об их прошлом, чтобы перевоспитание проходило без всяких помех. Люди свято его сдержали, потому что единственный предатель, который мог бы попытаться испортить дело, Руф Билан, по общему приговору был усыплён и отнесён в Священную Пещеру сроком на десять лет. А чтобы никто, попав туда случайно, не напился Усыпительной воды, Пещеру замуровали.

Первая партия спящих во главе с королём Ментахо проснулась через неделю после Дня Великого Усыпления. Ружеро, выполняя своё обещание, послал сообщить об этом Элли, и та с братом отправилась в Город Семи владык посмотреть, как будет происходить перевоспитание.

Когда ребята вошли в Пещеру (Торговые ворота были сломаны по приказу Ружеро, и стража там уже не стояла), они вскрикнули от страха. Перед ними на дороге растянулся во всю свою огромную длину и таращил жёлтые глаза дракон, постукивая зубчатым хвостом по земле.

— Зачем тут это страшилище? — воскликнула Элли, готовясь обратиться в бегство.

— Это Ойххо, — сказал гонец. — Самый умный и послушный из всех наших драконов. Ойххо, поклонись гостям!

И дракон трижды наклонил перед Элли и Фредом свою уродливую голову. Ребята невольно рассмеялись.

— Вы можете его погладить, — предложил гонец. — Он будет доволен.

Элли прикоснулась к морщинистой шее ящера, тот от удовольствия забил хвостом.

— А теперь садитесь, — приказал посланец Ружеро, указывая на подобие паланкина, укреплённого на спине дракона.

— Зачем? Мы лучше дойдём пешком, — запротестовала Элли.

Но гонец был непреклонен.

— Это приказ правителя Ружеро, и... потом, так нужно для вас же самих.

Ничего не поняв из последних слов, ребята всё же сели в паланкин, гонец поместился впереди, тронул уздечку, и Ойххо взлетел. У Элли и Фреда замерло сердце, они ухватились друг за друга, и земля быстро понеслась под ними. Через несколько минут даже почувствовали удовольствие от быстроты полёта и покинули кабину с сожалением: уж слишком скоро кончилась воздушная поездка.

Моменты перевоспитания принесли много веселья присутствующим, но, по строгому приказанию Ружеро, это веселье приходилось скрывать.

Ментахо, первый из проснувшихся королей, был самым из них чванным. Он страшно гордился своим происхождением от

легендарного Бофаро, и простые люди были для него ничтожеством.

И вот этому-то тщеславному человеку Ружеро внушил, что он — ткач, мастер обучал его основам ремесла. Бывший король сел за ткацкий станок и бойко принялся орудовать челноком, приговаривая:

— Соскучился я по своей работе!

Элли и Фред чуть не лопнули от смеха и под сердитым взглядом Ружеро поспешили выбежать из комнаты.

И дело пошло. Короли, министры, советники превращались в рудокопов, литейщиков, металлистов, портных, поваров... Лакеи, солдаты, шпионы становились пахарями, огородниками, звероловами, рыбаками...

Призрак голода отступил от Подземной страны навсегда.

НАВЕРХ!

Но и самому существованию Подземной страны пришёл конец. Правитель Ружеро и вновь учреждённый Совет Старейшин (туда вошли и два бывших короля) объявили:

«Все желающие покинуть Пещеру и переселиться наверх могут сделать это беспрепятственно. Совет Старейшин уже договорился с Жевунами. У них в Голубой стране хватит места всем, и наши люди получат наверху участки земли для обработки».

Чтобы как следует обсудить этот важнейший вопрос, был созван всенародный митинг. Первым говорил Арриго.

— Наши предки были изгнаны из верхнего мира тысячу лет назад, — сказал он, — за преступление принца Бофаро. Справедлив или нет был приговор, теперь судить бесполезно. Важно то, что люди остались жить в Пещере. Насколько пригодна она для жизни? Посмотрите, какие у нас бледные лица, какие тощие груди, тонкие руки и ноги! Как хилы и слабы наши дети и сколько их умирает в младенчестве!

— Правильно! Верно говорит Арриго! — раздались возгласы.

— Конечно, в Пещере можно жить, и доказательство этому — мы сами, — продолжал Арриго. — Но вряд ли кто станет спорить, что климат её очень вреден. Доктора Бориль и Робиль подтвердят, что продолжительность жизни у нас гораздо короче, чем наверху...

— Да, да! — закричали Бориль и Робиль.

— Даже такие волшебные существа, как Страшила и Железный Дровосек, чуть не нашли у нас гибель, а царь зверей опустошил всю аптеку и вдобавок чуть не съел аптекаря, потому что тот пропах лекарствами...

Толпа захохотала.

— Вы видите, друзья, — закончил Арриго, — что теперь, когда нас никто не вынуждает жить в Пещере, нам пора покончить с тысячелетним изгнанием и переселиться наверх.

— Один вопрос! — На трибуну поднялся длинный и худой доктор Робиль. — Почтенный Арриго говорил очень хорошо, но пусть он мне ответит, как мы сможем жить в верхнем мире с нашими слабыми глазами?

— Позвольте, позвольте! — Из толпы шариком выкатился толстенький доктор Бориль. — Задавая свой вопрос, почтенный доктор Робиль выказал полное невежество в вопросах медицины.

Робиль сердито фыркнул. Соперничество, столетия назад существовавшее между предками двух докторов, докатилось и до потомков.

— Невежество? Докажите! — крикнул Робиль.

— Да, невежество! — смело заявил Бориль. — Глаза наших предков привыкли к сумраку Пещеры, наши глаза привыкнут к яркому свету верхнего мира. И у меня есть доказательство. Гражданин Веньено, прошу вас выйти сюда!

Вперёд вышел человек средних лет в одежде пахаря.

— Вот этот гражданин, — продолжал доктор Бориль, — уже две недели живёт наверху. Днём он скрывается в тёмной палатке, а по ночам выходит, и когда наступает утренняя заря, он всё дольше и дольше остаётся наверху. В этом состоит придуманный мною опыт. Ну, и как же дела, друг Веньено?

— Да как, привыкаю помаленьку, — смущённо ответил Веньено. — Вчера чуть не до солнышка оставался на вольном свету... и ничего!

Гром аплодисментов был наградой смелому пахарю, а посрамлённый Робиль скрылся в толпе.

Ещё один важный вопрос разрешился на митинге. В Пещере были богатые залежи металлов, а верхний мир такими богатствами не располагал. Как тут быть?

Слово взял один из рудокопов:

— Эх, ребята, о чём говорить? Неужели для себя не поработаем? Ведь это не то что при королях спину гнуть... — На оратора со всех сторон зашикали, и он прикусил язык, спохватившись, что сболтнул лишнее. — Я хочу сказать, что мы согласны работать поочередно. Два-то месяца в году можно в шахте покопаться, зато слаще будет отдых наверху!

— Верно! Правильно! И мы будем работать по очереди! — закричали литейщики.

Так народ сам решил все важные вопросы, и Пещера начала пустеть. Бывшие работники и земледельцы стремились к ясному солнцу, к голубому небу, к вольному воздуху и благословляли события, которые принесли им освобождение от мрачного существования в подземных пропастях земли. Перевоспитанные, не видавшие в жизни тягот, правда, не совсем понимали радости других, но и им наверху нравилось больше, чем внизу.

ВОЗВРАЩЕНИЕ

Конечно, Элли и Фред не стали ждать, когда закончится перевоспитание всех спящих и совершится всеобщее переселение. Пора было возвращаться домой, к семьям, которые их оплакивали.

Перед отъездом Элли решила повидаться с королевой полевых мышей Раминой: девочка соскучилась по доброй маленькой фее. Но сначала Элли попросила брата покрепче привязать Тотошку к дереву.

На этот раз свисточек подействовал безотказно: в траве зашуршали тоненькие лапки, и перед Элли появилась Рамина в золотой короне на голове; её сопровождали фрейлины.

Тотошка залаял и завозился на привязи, а Фред Каннинг смотрел во все глаза: мальчишка знал, что это чудо, которое он видит, — одно из последних чудес странного мира, куда забросила его судьба.

Мышь заговорила смешным тоненьким голосом:

— Вы звали меня, дорогая сестра?

— Да, Ваше Величество! Я очень соскучилась по вас и хотела повидаться перед тем, как покину Волшебную страну.

— Очень признательна за память, — сказала королева, — тем более что это наше последнее свидание.

— Я больше не вернусь сюда?

— Наш род одарён предчувствием будущего, и это предчувствие говорит мне, что вас ждёт долгая и светлая жизнь в родной стране. Но ваших друзей вы уже не увидите никогда.

Элли заплакала:

— Я так буду скучать по ним...

— Человеческая память милосердна, — сказала Рамина. — Сначала вам будет грустно и горько, а потом на помощь придёт забвение. Прошлое покроется туманной дымкой, и вы будете вспоминать его, как смутный сон, как милую старую сказку.

Девочка спросила:

— Должна я сказать Страшиле, Дровосеку и Льву, что покидаю их навсегда?

— Нет, — ответила фея. — Они такие добрые и мягкосердечные создания, что не стоит огорчать их. Оставьте им надежду. Надежда — великая утешительница в печали...

Быть может, мудрая мышь сказала бы Элли ещё много хороших слов, но в этот момент Тотошка сорвался с привязи, и Рамина со свитой исчезла.

Фред долго стоял в изумлении.

— Знаешь, сестра, — молвил он, — из всех невозможных чудес этого невозможного мира то, которое я видел сейчас, по-моему, самое невозможное... И ты меня прости, — смущённо добавил он, — за то, что я над тобой немножко подсмеивался...

Элли отказалась совершить новое путешествие в Изумрудный город, сказав, что она уже не раз любовалась его чудесами, а Фред там побывал и знает, что это такое.

— Отсюда, из Голубой страны, ближе добираться до Долины чудесного винограда, — говорила девочка. — Туда нас проводят Жевуны, помогут Фреду построить новый сухопутный корабль, и мы как-нибудь пересечём пустыню.

— Я плавал на яхтах и умею управлять парусом, — вторил сестре Фред.

При одном из таких разговоров присутствовал Ружеро, ставший большим другом детей. Узнав о планах Элли, старик нахмурился.

— То, что вы затеваете, это совершенно ненужное и даже опасное дело, — сказал он. — Великая пустыня редко выпускает тех, кто ей попадается, и это большая удача, что моряк Чарли дважды сумел пересечь её. Но полагаться на искусство Фреда (ведь он только мальчик!) было бы безумием, и мы, ваши друзья, не отпустим вас на гибель.

— Но как же мы вернёмся домой? — спросила Элли.

— У меня есть для этого средство, — хитро улыбнулся Ружеро, поглаживая длинную седую бороду. — Назначьте день, и всё будет готово.

Страшила, Дровосек и Лев хотели бы, чтобы Элли жила у них долго-долго, но девочка согласилась пробыть в Волшебной стране ещё только неделю, хотя она и знала, что её разлука с дорогими друзьями будет вечной.

Сообщение о скором отъезде Элли было передано в Изумрудный город по птичьей эстафете. Оттуда первой прилетела Кагги-Карр, а за ней спешно прибыли Длиннобородый Солдат Дин Гиор, Страж Ворот Фарамант, искусный механик Лестар. И даже многие жители Изумрудного города пустились в далёкое, теперь уже безопасное путешествие по дороге, вымощенной жёлтым кирпичом, чтобы ещё раз взглянуть на свою милую маленькую фею, которая сделала им так много добра.

На проводы Элли собралось всё население Голубой страны во главе со своим правителем Премом Кокусом и, конечно, все бывшие жители Пещеры, которые успели к тому времени переселиться наверх. Многие из них ещё ходили в тёмных повязках на глазах, чтобы уберечь их от солнечного света.

Никто не знал, каким образом Элли покинет Волшебную страну, но все свято верили в её могущество. Если Элли решила что-то сделать, это будет сделано, говорили они.

Вокруг поляны, где стояла палатка Элли, раскинулся шумный лагерь. Добросердечные маленькие Жевуны то плакали от горя, что Фея Убивающего Домика покидает их, то смеялись от радости, что ей удалось избежать стольких опасностей в подземном мире. Они удивительно быстро переходили от одного настроения к другому, но, плакали они или смеялись, бубенчики на их шляпах одинаково отвечали мелодичным звоном.

Фред Каннинг до глубины души был растроган, видя, какие необычайные почести воздаются сестре, этой обыкновенной девочке из Канзаса, которая, однако, благодаря своему доброму сердцу так много сделала для обитателей Волшебной страны. Даже и его, Фреда, мальчишку из Штатов, чествовали так, как будто и он совершил что-то такое большое и хорошее. Но Элли...

— Знаешь, сестра, — сказал он, — я читал в газетах о том, как провожают коронованных особ, султанов, падишахов и императоров. Но, честное слово, там никогда не бывает таких искренних восторгов и похвал...

И вот настал день расставания. Элли со слезами расцеловала милое разрисованное лицо Страшилы, обняла Железного Дровосека, долго перебирала жёсткую спутанную гриву Льва, прижала к груди растроганную Кагги-Карр, простилась с Дином Гиором, Фарамантом, Лестаром, Премом Кокусом.

— Мы ещё увидимся, дорогие мои, чудесные, необыкновенные друзья! — лепетала девочка.

На поляне среди расступившейся толпы провожающих появился Ружеро. Элли, хоть и была расстроена прощанием, посмотрела на старика с недоумением: где же то средство, с помощью которого он думает отправить их на родину?

Ружеро взглянул вверх. Там в синеве неба показалась чёрная точка. Она спускалась всё ниже, росла, и вот на поляну опустился огромный дракон, управляемый человеком.

Дракон приветливо смотрел на Элли большими, как чайные блюдечки, глазами. Испуганные Жевуны в панике шарахнулись во все стороны: они никогда не видели драконов.

— Ойххо! — воскликнули Фред и Элли.

— Ойххо легко перенесёт вас через Кругосветные горы и Великую пустыню, — сказал Ружеро. — Он необычайно вынослив, и его приучили к дневному свету. Только до Кругосветных гор вас будет сопровождать наш возница Рахис. А дальше вы полетите сами.

Теперь ребята поняли, зачем Ружеро заставлял их летать на драконе под сводами Пещеры среди золотистых облаков. Мудрый старик настоял на том, чтобы Фред научился управлять драконом.

— А потом что с ним делать? — спросила Элли.

— Если дракон не пригодится вам в домашнем хозяйстве, — рассмеялся Ружеро, — вы его отпустите, и я ручаюсь, что он найдёт дорогу домой.

Итак, пришёл печальный час разлуки. Элли ещё раз обняла и расцеловала друзей, Фред со всеми попрощался, Тотошка долго переходил из рук в руки, его ласкали Страшила и Дровосек, Лев нежно пожал ему лапу.

Вожатый уселся на шею ящера. Улетающие поднялись по лестнице в кабину, помахали руками многотысячной толпе провожающих.

— Прощай, Элли, — крикнул Дровосек, не сдерживая слёз, — прощай! Моё сердце чувствует, что ты покидаешь нас навсегда!

Любящее сердце подсказывало Железному Дровосеку горькую истину. Но Лев и Страшила не хотели с ней смириться.

— Нет, — сказал Страшила, — наша Элли ещё вернётся в Волшебную страну!

И Лев согласно кивнул большой косматой головой.

Гигантский дракон взмахнул крыльями, взлетел, подняв вокруг себя вихрь, и скоро исчез в голубой дали неба.

СОДЕРЖАНИЕ

 ЗАТЯНУВШАЯСЯ ПРОГУЛКА 

 КОНЕЦ ПОДЗЕМНОГО ЦАРСТВА 

Литературно-художественное издание
Для среднего школьного возраста

әдеби-көркемдік баспа
орта мектеп жасындағы балаларға арналған

ВОЛШЕБНИК ИЗУМРУДНОГО ГОРОДА

Волков Александр Мелентьевич

СЕМЬ ПОДЗЕМНЫХ КОРОЛЕЙ
(орыс тілінде)

Иллюстрации *Владимира Канивца*

Ответственный редактор *Л. Кондрашова*
Дизайн переплета *И. Саукова*
Компьютерная графика *И. Лапин*
Технический редактор *О. Кистерская*
Корректор *Е. Родишевская*

Страна происхождения: Российская Федерация
Шығарылған елі: Ресей Федерациясы

Соответствует техническому регламенту ТР ТС 007/2011
КО ТР 007/2011 техникалық регламентіне сәйкес келеді

ООО «Издательство «Эксмо»
123308, Россия, город Москва, улица Зорге, дом 1, строение 1, этаж 20, каб. 2013.
Тел.: 8 (495) 411-68-86.
Home page: www.eksmo.ru E-mail: info@eksmo.ru
Өндіруші: «ЭКСМО» АҚБ Баспасы,
123308, Ресей, қала Мәскеу, Зорге көшесі, 1 үй, 1 ғимарат, 20 қабат, офис 2013 ж.
Тел.: 8 (495) 411-68-86.
Home page: www.eksmo.ru E-mail: info@eksmo.ru.
Тауар белгісі: «Эксмо»
Интернет-магазин : www.book24.ru

Интернет-магазин : www.book24.kz
Интернет-дүкен : www.book24.kz
Импортёр в Республику Казахстан ТОО «РДЦ-Алматы».
Қазақстан Республикасындағы импорттаушы «РДЦ-Алматы» ЖШС.
Дистрибьютор и представитель по приему претензий на продукцию,
в Республике Казахстан: ТОО «РДЦ-Алматы»
Қазақстан Республикасында дистрибьютор және өнім бойынша арыз-талаптарды
қабылдаушының өкілі «РДЦ-Алматы» ЖШС,
Алматы қ., Домбровский көш., 3«а», литер Б, офис 1.
Тел.: 8 (727) 251-59-90/91/92; E-mail: RDC-Almaty@eksmo.kz
Өнімнің жарамдылық мерзімі шектелмеген.
Сертификация туралы ақпарат сайтта: www.eksmo.ru/certification

Сведения о подтверждении соответствия издания согласно законодательству РФ
о техническом регулировании можно получить на сайте Издательства «Эксмо»
www.eksmo.ru/certification
Өндірген мемлекет: Ресей. Сертификация қарастырылған

Дата изготовления / Подписано в печать 28.12.2021. Формат 84x108 1/16.
Печать офсетная. Бумага офсетная. Усл. печ. л. 23,52.
Доп. тираж 7000 экз. Заказ 79.

Отпечатано в АО «Первая Образцовая типография»
Филиал «Чеховский Печатный Двор»
142300, Россия, Московская область, г. Чехов, ул. Полиграфистов, д. 1
Сайт: www.chpd.ru, E-mail: sales@chpd.ru, тел. 8(499) 270-73-59

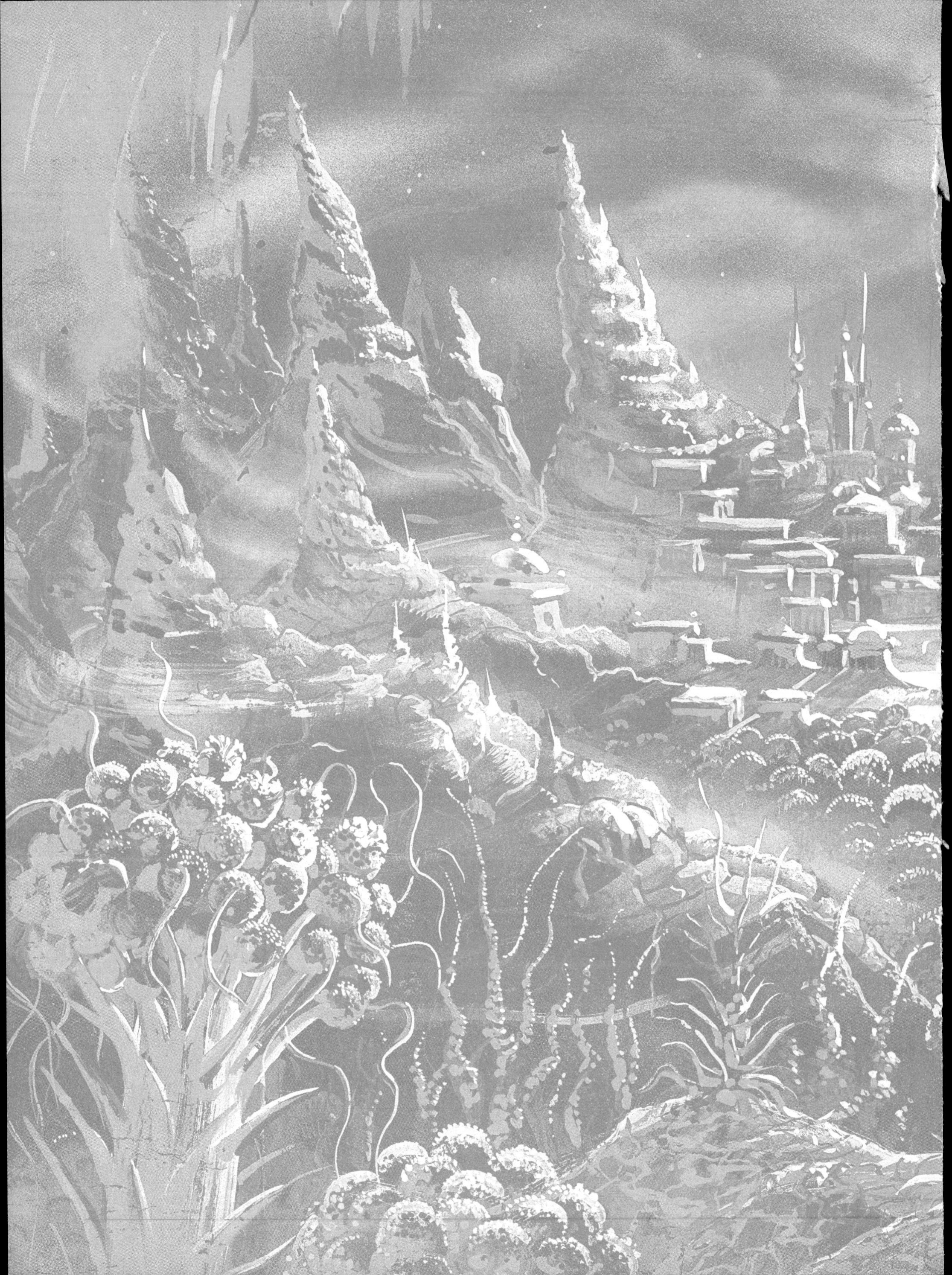